la creación literaria

coordinador
ALBERTO VITAL

andrés j. sebastián

*

extranjeras

Premio Internacional de Narrativa 2003

EL
COLEGIO
DE
SINALOA

TRABAJO   ARTE · CIENCIA

siglo
veintiuno
editores

siglo xxi editores, s.a. de c.v.
CERRO DEL AGUA 248, DELEGACIÓN COYOACÁN, 04310, MÉXICO, D.F.

siglo xxi editores argentina, s.a.
TUCUMÁN 1621, 7 N, C1050AAG, BUENOS AIRES, ARGENTINA

portada de patricia reyes baca

primera edición, 2004
© siglo xxi editores, s.a. de c.v.
isbn 968-23-2525-0

La Universidad Nacional Autónoma de México, El Colegio de Sinaloa y Siglo XXI Editores decidieron convocar a un Premio Internacional de Narrativa cuya primera edición se hizo pública a mediados de 2003. La convocatoria fue respondida por un gran número de escritores hispanoamericanos de entre los cuales el jurado seleccionó, por mayoría de votos, esta novela que el lector tiene en sus manos. La discusión entre los miembros del jurado pone de relieve la calidad de algunas de las obras recibidas. Siglo XXI se congratula de este inicio fecundo y se propone repetir la convocatoria todos los años con la confianza en que pueda convertirse en un punto de encuentro y promoción de nuestra mejor literatura de ficción.

LOS EDITORES

Belisario Roque Peredo, argentino, soltero, veinticinco años, jornalero, analfabeto, sin señas particulares, sin alias, se domicilia a pocos kilómetros del pueblo de Puán, partido del mismo nombre.

Belisario Roque Peredo espera. Hace más de una hora que tolera el paso del tiempo sin cambiar de posición. Está escondido y espera.

No se moverá hasta que se apaguen las luces tenues de la vivienda de doña Ramona Pedraza que apenas alcanzan a escapar tímidamente por las ventanas entornadas.

Agazapado entre los yuyales en un terreno baldío aledaño a la casa mira en dirección a las aberturas, otea las cortinas, los postigos, las molduras y las hojas de las plantas que bailan al compás de una brisa apacible.

Espera. No desplaza sus pies. Se mantiene quieto y esa inmovilidad obedece a una circunstancia tan concluyente como obvia: que la eventual pisada de la alpargata sobre algún pasto seco no delate su presencia clandestina.

Respira despacio, con mesura a pesar de la excitación. Cuida de cada detalle que lo circunda tratando de evitar contratiempos; se ampara en la previsión, como corresponde. Las distracciones no suelen ayudar cuando alguien procura cometer un delito. Peor aún, pueden ser letales a la hora de los resultados. Quizá tanto como el azar.

Las personas efectivas nunca se fían del azar, y Belisario es efectivo. No se permite la desatención. Y esa característica es mérito propio, adquirida. No venía en su inventario personal. Se trata de un ejercicio de concentración repetido con insistencia desde que era un niño, desde que aprendió solo que la improvisación es el camino más corto hacia la derrota. Pone en práctica ese dominio de sí mismo en las actividades más simples, como tallar el mango de un cuchillo, y en las más complejas, como domar un potro o, precisamente, cometer un delito.

De pronto, un obstáculo inesperado hace su aparición: una culebra se acerca. No la ve pero la oye. Puede escuchar con claridad el sonido que produce la panza en la maleza arrastrándose hacia él, a escasos metros de distancia. El típico roce de la piel sobre la tierra y las matas secas.

Le vendría muy bien en este momento que doña Ramona Pedraza apagara las luces de la vivienda para comenzar con su tarea ilícita, para iniciar las actividades que desde hace varios días se propone llevar adelante. Son las mismas actividades que con esmero ha planeado en la soledad de su rancho miserable. Claro que le vendría muy bien, pero no siempre lo que desea se consuma. No siempre sus anhelos se cumplen. Ya debería saberlo, ya debería conocer la disparatada infidelidad del destino que es capaz de castigar o premiar sin razón alguna, de hacer o deshacer con la referencia tiránica de un capricho.

Empieza a notar la humedad de la transpiración en distintas partes de su cuerpo; en la frente, sobre el labio superior, en los sobacos y en la zona lumbar, justo donde termina la espalda y aprieta el cinturón de cuero crudo. Con apuro saca su cuchillo para intentar una defensa contra el posible ataque de la víbora aunque sabe que el arma es un elemento inútil en esta oscuridad cerrada, en esta inexplicable ceguera temporaria que la noche vierte sobre los hombres y consigue esquivar a los animales.

Podría salir corriendo, podría hacerlo, por supuesto. Podría prorrogar el plan para otra oportunidad, pero el botín que le espera seguramente justifica algunos peligros inminentes, los posibles daños colaterales. Hasta los intentos más simples pueden complicarse; sabido es que a la casualidad le gusta sorprender, le complace atrapar incautos y divertirse con esas artimañas.

Entonces, repentinamente, para no ser presa fácil de las contingencias, para dar batalla a los inconvenientes, decide escalar la medianera de ladrillo aun a pesar de la luz encendida y titilante de la lámpara a querosén. Y escala, está visto, cambiando un riesgo por otro, huyendo de la acometida sibilina aunque internándose en la zona donde podría ser descubierto por la mujer.

Camina haciendo equilibrio por el borde límite hasta que llega a la unión de las tapias, al ángulo recto que conforman ambas construcciones, la que bordea el terreno por un lado y el muro lateral de la casa por el otro. Allí se agarra de las enredaderas que trepan amarradas a la pared firme para evitar una posible caída fortuita. La planta, en definitiva, es la que lo aleja de su precaria inestabilidad.

Baja al patio con la misma silenciosa habilidad con que lo haría un gato y luego se desplaza pegado a la construcción de modo que su silueta escurridiza no aparezca en una zona visible, desprotegida, a la luz de la negligencia.

A esta altura ya tiene el cuerpo empapado en sudor.

Enormes gotas saladas resbalan por su frente y por sus mejillas acaloradas. Siente el rostro tenso, consecuencia de una mordida tan exagerada como involuntaria. La camisa se encuentra adherida a su piel por efecto del pegote que emana de sus poros. Otro tanto sucede con el pantalón ordinario de trabajo que comienza a molestarlo debido al roce con los vellos húmedos de sus piernas.

Belisario Roque Peredo viste la misma ropa que utiliza en sus labores, en las cosechas de alfalfa, de trigo y de maíz. Viste la misma ropa y calza igual olor: un tufo penetrante que lo cubre entero, desde su cabeza hasta los pies, con marcada prepotencia de su aliento. El cabello tupido, negro y mugriento, parece una gorra íntegra debido a la consistencia que le otorga la suciedad.

Ya conoce las mieles de la delincuencia, el sabor inmediato de la propiedad ajena. Sabe que es más provechoso robar que trabajar. Da mayores réditos y en menor tiempo. ¿Para qué, entonces, afanarse en el esfuerzo cotidiano? ¿Para qué intentar el tránsito por los trechos extensos, por la labor del día a día? Además, casi no hace falta remarcarlo, él, como indigente, cree que goza de cierta justificación personal, de cierta disculpa de la sociedad; justificación y disculpa propia de los inquilinos permanentes de la ilegalidad, de los que suponen que la pobreza brinda ciertas prerrogativas. Está convencido de que es un derecho adquirido.

Palpa la hoja de su daga y aferra la confianza que otra vez lo envuelve y le reintegra su serenidad. ¿Qué podría hacer una vieja, doña Ramona Pedraza, contra su potencia, su juventud y su arma? ¿Qué podría hacer?

La respuesta que se imagina planifica una nueva sonrisa, una sonrisa que deja paso en la penumbra a los dientes torcidos y plenos de restos de comidas.

Apoyado en una agilidad innata se agacha y con las manos en la tierra recorre el largo del cantero por debajo de una ventana cuyos postigos están sólo entornados. En la próxima abertura, apoya un brazo contra los vidrios y presiona hacia dentro; los cristales ceden sin rigor, fácilmente, de manera que comprueba con certeza la ausencia de cerramiento, tal como esperaba.

Primero pasa sus piernas y luego el torso. En un instante se encuentra en el interior, entre los muebles tallados, añejos y frente a algunos objetos suntuosos, no muchos. Hay varios artículos que supone valiosos aunque no puede confirmarlo, le falta conocimiento en esos temas como para tasar con mera aproximación.

El ambiente es alto, fresco, abunda la comodidad y el espacio, ese mismo que a él le falta, que él no tiene en su habitación modesta.

Acomoda su pie sobre la madera, encima de la pinotea y la siente distinta, muy distinta, al piso de tierra de su dormitorio que, además de dormitorio, es comedor, cocina y todos los restantes cuartos de una vivienda común. Mientras tanto, acostumbra poco a poco sus pupilas a las sombras de la habitación y con cierto esfuerzo puede ver un juego de tazas, una tetera y una azucarera. Belisario no tiene tazas ni tetera ni azucarera ni otras cosas parecidas, apenas unos jarros de hojalata que usa una y otra vez sin detenerse a limpiarlos en cada ocasión. Percibe el aroma de la cera que se despliega generosa sobre el suelo y el mobiliario y no puede dejar de compararlo con la apestosa tufarada a moho, humedad y encierro de su rancho o con la asquerosa pestilencia de su retrete.

Nada aquí se parece a su morada, mejor, a su madriguera. Nada. Ni siquiera el aire. Por eso toca todo lo que puede manosearse, desde los libros hasta un diario. Y no entiende para qué o por qué lo hace, si no sabe leer, nunca ha ido a la escuela, tal vez sólo para mirar las fotografías. Quizá tratando de desentrañar el misterio de unos títulos que se le antojan importantes, llamativos.

Por fin, olvida la ignorancia de las letras y se dirige hacia el lugar en donde se esconde el alhajero, en donde conoce de antemano que se esconde el alhajero. Lo toma. Extrae con torpeza las joyas y las guarda mezcladas en sus bolsillos, entre la camisa y su cuerpo cercado por el hedor, en los huecos casi sinuosos que la prenda forma al contacto con sus músculos. También se queda con los billetes y con las monedas amontonadas en el fondo del pequeño cofre como para completar el premio adecuado a su faena destacada.

Advierte que es hora de retirarse. Es el momento exacto para abandonar la casa y eludir inconvenientes accidentales. Sin embargo, antes de fugarse da un último vistazo en derredor y comprende que tiene ganas de romper, de dejar su marca destructora en los bienes de la dueña. Ambos se lo merecen, ella y él, doña Ramona Pedraza y Belisario Roque Peredo. Ella, porque no tiene derecho a contar con tantos objetos cuando hay otra gente que no posee nada. Y él, porque se ha ganado la facultad de destruir aquello que no ha sido compartido a tiempo con personas rodeadas de necesidades, con pobres e indigentes. Cree que es un modo de acortar distancias, una forma de darle regocijo a su re-

14

sentimiento, a su odio. Se apoya sin concesiones en un rencor interno que permanece inalterado a pesar de las circunstancias.

Entonces clava el puñal y desgarra con violencia la tela de un cuadro. Luego hace lo mismo con otro, apenas una foto familiar, de cuando el finado vivía y la hija de doña Ramona no se había radicado en la capital. Arranca hojas de los libros y las destroza con salvajismo. Para él no sirven, tienen palabras y las palabras ¿a quién le interesan? Incrusta el filo en el lienzo de un sillón y observa el desparramo de plumas, la descontrolada prodigalidad de plumas sin el control que ejercía el género obstinado. Hace un tajo en una silla tapizada y desprende la lana de su interior. Sonríe. Observa el avance de su obra y se entusiasma. Todavía tiene mucho por hacer. Pero de pronto, en el mejor momento de su diversión, en el éxtasis de su amenidad, escucha un ruido, unos pasos. Sandalias deslizándose por el corredor. Obligado, alcanza rápidamente a ocultarse detrás de la puerta, al resguardo que le brinda la penumbra.

Alguien apoya su mano en el picaporte y empuja desde el ambiente contiguo. La luz de la lámpara a querosén ingresa en la habitación pendiendo de un brazo delgado. Es María Ceñudo, española, de veintiún años de edad, empleada en tareas domésticas, soltera, sabe leer y escribir, así lo dirá en su declaración, así lo dirá ella cuando declare ante la policía.

María da un paso en el cuarto y de inmediato descubre los destrozos, el descalabro, el desorden de la pieza que, horas antes, ella misma había aseado y arreglado siguiendo las órdenes de su patrona. Pero en esta ocasión no tiene

15

tiempo de reaccionar. No tiene tiempo ni siquiera de gritar. Una mano que viene desde atrás le tapa la boca y otra le hace sentir el cuchillo presionando en su garganta. El arma amenazando con una muerte inesperada.

El terror aumenta el tamaño de sus ojos, la inmoviliza y la obliga a dejar la lámpara que cae sin resistencia. La estancia vuelve a las sombras, a las formas sin precisión. La punta filosa marca con agresividad su cuello y María se da cuenta de que una gota de sangre resbala hacia abajo, hacia su torso. Percibe la respiración del hombre en su oreja, casi en su mejilla y a pesar del miedo no puede evitar la náusea que le provoca la fetidez excesiva del resuello, el vaho a mugre vieja que se desprende de esa musculatura fibrosa, de ese hombre sudoroso que, poco a poco, la impregna íntegramente. Cree que la vida se le escapa o se le escapará y tal vez esté en lo cierto, tal vez ha llegado su fin.

Nota el cuerpo masculino pegado al suyo y siente con estupor la erección ajena que crece al contacto con sus muslos, a través del camisón inservible. El pánico le dice que ya no hay nada que hacer, quizá tan sólo esperar, quizá tan sólo llorar. ¿Para qué ha venido a América? ¿Para esto? ¿Qué buscaba cuando emprendió el viaje? ¿Era mejor el hambre y la guerra salvaje o es mejor esta salvajada individual?

Le pide a Dios una ayuda, una salvación, un milagro. Pero, por lo general, los milagros no suceden cuando alguien los necesita.

Escucha la amenaza en voz baja, susurrante, imperativa, y entiende que debe permanecer callada si quiere vivir, si anhela salvar su existencia, si procura evitar el mal mayor.

Enseguida la mano que tapaba su boca desciende con torpeza a los pechos, a su abdomen, a su vulva. La palma se desplaza ahora por debajo de la tela, encima de la piel joven hasta hoy intacta. El perfume fresco de María y el aroma del miedo que despide su cuerpo aumentan la excitación del hombre. Entonces ruega un auxilio divino, la protección que por el momento no encuentra. Pero su ruego, nuevamente, no recibe respuesta.

Belisario le sube el camisón mientras continúa intimidándola con su faca, con su humanidad violenta. Desabotona su bragueta y en un segundo se encuentra listo para llevar a cabo la violación. Acomoda siempre desde atrás su miembro entre las piernas de la mujer y ella comprende que está a punto de perder su virginidad, de la manera más brutal, del modo bestial que jamás había imaginado.

En ese instante recuerda su pueblo natal cercano a Orihuela, a orillas del río Segura, en Alicante, y el pensamiento le trae a la memoria unos campos repletos de naranjas, de limones, de olivos, un clima templado que serena los arrebatos, un mar cálido que moja las costas con cadencia. ¿Para qué vino a América? ¿Para qué vino a Argentina? ¿Para qué vino a Puán?

Trata de soportar el dolor que le provoca el desgarro de su himen y alcanza a contener unos quejidos lastimeros que silencia por la acción convincente de la punta del arma que se le incrusta apenas en su cuello. Las hemorragias no tardan en caer, la de su garganta y la de su vagina. Y aunque a ella le parece una eternidad Belisario no se demora mucho tiempo, lo hace rápido, con la eficacia exacta de la maldad.

Ahora podría matarla. ¿Por qué no? Es mejor no dejar cabos sueltos, no tentar a la suerte. Pero de pronto se pregunta ¿para qué? ¿Con qué objeto? Ella no lo ha visto, no puede reconocerlo, no lo hará en medio de las oscuras tinieblas de la habitación. Por eso, así como está, satisfecho, confiado, en plenitud por la sincronización precisa de sus dos crímenes y sin que María Ceñudo se mueva de su posición, vuelve a salir por la ventana, corre hacia la medianera y la trepa, salta hacia el terreno baldío y escapa a toda velocidad entre los yuyos desparejos, entre las matas que, ahora sí, crujen sonoras a su paso.

En el mismo momento y mientras él continúa corriendo, en el silencio de la vivienda, doña Ramona Pedraza duerme y María cae de rodillas en medio de su desgracia y pesadumbre. La sangre que sale de su cuerpo empapa las plumas esparcidas por el suelo y mancha la madera encerada.

Parte policial dirigido al Juzgado Criminal de Primera Instancia del Departamento Judicial de Costa Sud. Juez a cargo Doctor Manuel Araneda, Secretario Escribano Jorge Palestra. Delito cometido: Homicidio y Lesiones Gravísimas. Puán, febrero 26 de 1916. Siendo las veintidós horas y quince minutos el Comisario de Policía que suscribe dice: Que se encuentra en el local de la Comisaría y oye varias detonaciones de armas de fuego que provienen, supuestamente, tomando como referencia el edificio público, desde una dirección norte. En el acto, en unión con el Subcomisario Emiliano Cortázar y el Oficial Escribiente Efraín López se dirigen al lugar desde donde aquéllas partían, a una distancia media de la institución policial. Unos seiscientos metros aproximadamente. Con la presencia de las personas que al pie suscriben se comprueba que en la intersección de las calles General Lavalle y Laprida de este pueblo, frente a la zapatería de Pietro Giovanni Serenelli y haciendo cruz con la panadería de Hermenegilda Zabala Cifuentes, se encuentran dos hombres caídos, ensangrentados, inconscientes y con armas en sus manos. Practicadas de inmediato las mecánicas clínicas para determinar la gravedad de las heridas recibidas por ambos sujetos se llega a la conclusión de que uno de ellos ha fallecido, en tanto el otro todavía sobrevive. El muerto se halla tirado en medio de la calle, en la intersección antes indicada, boca arriba y sin signos vitales presentes, mientras que a pocos metros de distancia un

individuo no identificado yace respirando con marcada difi-
cultad. Los cuerpos permanecen sobre la tierra ante el Oficial
Donato Malaspina que ha llegado con anticipación al lugar
del hecho. Declara en este mismo acto que escuchó el silbato
policial que usan los agentes pidiendo ayuda, luego unos gri-
tos e inmediatamente después las detonaciones de armas de
fuego. Por ese motivo ha venido corriendo en forma presuro-
sa a prestar su auxilio. Al llegar descubrió a los hombres ya
en esa posición, en la que ahora se encuentran. Ante los testi-
gos que se han arrimado al sitio la Instrucción procede al se-
cuestro de las armas que portaban los presuntos contendien-
tes y se labra un acta. Se trata de un revólver que tiene en su
tambor cuatro balas y dos cápsulas vacías y otro que ha dis-
parado igual cantidad de proyectiles. Informa también el Ofi-
cial Malaspina que encontrándose de ronda en las cercanías
no tardó mucho tiempo en llegar. Pudo divisar a varias muje-
res que corrían en dirección a la plaza probablemente asusta-
das por el estampido de las detonaciones. Habiendo concurri-
do en la ocasión el Doctor Sixto Paglialunga, médico de
policía, aconseja el traslado urgente del herido al hospital lo-
cal y en caso de ser necesario a la vecina ciudad de Bahía
Blanca, si es que se requiriesen cuidados intensivos y terapias
más avanzadas. No siendo para más se comisiona al Subco-
misario Emiliano Cortázar para que previa las averiguaciones
que resulten menester informe al respecto. Se cierra esta dili-
gencia y se da por terminada momentáneamente la actua-
ción. Efectuada la lectura del acta labrada que se les da a los
presentes, firman al pie para constancia. Siguen varias firmas
ilegibles y debajo de algunas de ellas los sellos del comisario,
subcomisario, médico y escribiente.

20

Puán, febrero 26 de 1916. Certifique el escribiente acerca del revólver Colt treinta y ocho y del otro revólver marca Goliat, también calibre treinta y ocho, secuestrados en el lugar del hecho que se investiga y guárdense ambas armas en la caja de seguridad hasta el momento de realizar las pericias balísticas, o bien para cuando deban ser enviadas en depósito al Señor Juez que intervendrá en la causa por el homicidio y las lesiones. Firmado Comisario Modesto Rivarola.

Puán, marzo 1 de 1916. A los efectos de dar cumplimiento a las disposiciones del Código de Procedimientos Penales para con el detenido, aunque convaleciente, se comisiona al oficial escribiente Efraín López quien deberá informar de las averiguaciones que practique. Hágase comparecer a los testigos presenciales del hecho que se investiga. Actúe junto al Subcomisario Cortázar el empleado policial Mariano Juan José Rimoldi. Firmado Modesto Rivarola. Comisario.

Puán, marzo 2 de 1916. Elévense estos antecedentes con el sumario respectivo a la consideración del Señor Juez de la causa Doctor Manuel Araneda. Se hace constar que tan pronto se reciban las actuaciones con los testigos de abono que fueron solicitadas a la Policía de Darregueira serán elevadas al mismo magistrado. Firmado Modesto Rivarola. Comisario.

Martiniano Pardo, argentino, casado, instruido, treinta y cinco años, policía, oriundo de Quilmes, se domicilia actualmente en el pueblo de Puán, partido del mismo nombre. Martiniano Pardo no habla, da órdenes, manda, grita, se encoleriza. La furia de su carácter impaciente brota con naturalidad, sin esfuerzo; lo hace en abundancia desde el pozo de su personalidad despótica. Y alguien obedece, lamentablemente alguien obedece. Cumple a rajatabla cada uno de los imperativos intimidatorios, cada una de las directivas lacónicas que salen de su garganta aguardentosa, que se evaden entremezcladas en un vozarrón amenazador, inapelable.

"Lústreme las botas." "Alcánceme el uniforme." "Barra." "Lave bien esos pisos." Ese alguien silencioso, invadido y dominado, que corre con premura tratando de satisfacer sus pretensiones siempre urgentes es su propia mujer.

"Mujer", le grita ahora. "Mujer, cébeme unos mates." Y ella rápidamente deja lo que está haciendo y se dirige a encender la cocina a leña para calentar el agua.

"Apúrese, carajo", inquiere desde su silla mientras recuenta un fajo de billetes.

La reciedumbre y el terror chocan en el ambiente. Se enlazan. Se amalgaman de manera inevitable como si una no pudiera vivir sin el otro. No sirviera sin la presencia del otro.

"Veintidós, veintitrés, veinticuatro", continúa con la tarea y escupe sus dedos para pasar con mayor comodidad el dinero, para despegar los papeles ajados que se unen al contacto con la humedad y la roña. "Veinticinco, veintiséis", cuenta en voz alta. Los ruidos en la morada sólo le están permitidos a él, son de su exclusividad. "Veintisiete, veintiocho..." Contrastan con el mutismo exagerado al que relega a su esposa. Se trata de una regla impuesta por Martiniano, una condición inmodificable y por otra parte justa, merecida por ella. "Veintinueve y treinta", termina confiado, con la seguridad propia del sojuzgador, del que se siente dueño de las cosas y las personas, dueño de la vida ajena.

Experimenta una sensación agradable, la que se tiene al comprobar la labor cumplida sin contratiempos y con los resultados deseados. Mientras espera el mate busca sobre la mesa monedas perdidas, intenta descubrir en el mueble restos de su nuevo patrimonio. Pero no hay más, eso era todo. Martiniano Pardo estira las piernas satisfecho. De cualquier manera es una buena cantidad, piensa. "Treinta pesos", repite. Sí que lo es. Un botín nada despreciable para una sola noche de labor.

Arma un cigarrillo de tabaco negro y lo enciende; el humo inunda la habitación modesta y la aromatiza. Está contento; contento y completo. Pero ese estado de ánimo no le hace olvidar su supremacía, la superioridad que ejerce con constante intensidad sobre su mujer. El dominio que, según cree, debe confirmar día a día para demostrar quién manda, quién obedece y con énfasis, quién lleva los pantalones en la casa. Es necesario mantener esa diferencia jerárquica, someter con rigor hegemónico para ser respetado, para resultar digno, tal como se merece. Después de todo, él es el que mantiene el hogar, él es el que se embarra los pies y las manos.

Y ese pensamiento lo describe con insolencia. Certero y recurrente cuenta con una lógica tan elemental como rudimentaria. Lo acerca con obstinación, fraternalmente, a los primates.

Recibe el mate con la bombilla asomada y el olor de la yerba humedecida. Así le gusta, con el agua a punto. Succiona con placer sintiendo el líquido caliente que recorre primero su boca y luego su garganta. Pita después con fruición, concentrado en el paso nocivo de la nicotina que infla sus pulmones de la misma forma que, aunque inocua, lo haría el aire puro.

"Tráigame una galleta de campo y un chorizo", dice sin levantar la vista. "Tráigamelos", insiste innecesariamente, sabiendo de antemano que su orden será cumplida de inmediato, como él cumple también de inmediato con las órdenes que le da el comisario del pueblo.

Come solo en tanto su mujer, de pie a su espalda, ceba en silencio uno tras otro los mates que Martiniano Pardo toma para bajar la masa masticada; el bolo preparado en la boca, listo para ser digerido. Está complacido, se le nota en su rostro a pesar de la seriedad, la brusquedad y el tono que utiliza en el dictado de sus requerimientos.

Sus ahorros, los que guarda en una lata debajo de la cama, han comenzado a abultarse con celeridad, mucho más fácil, más rápidamente y en mayor cantidad de lo que se imaginaba. Entonces, de pronto agradece el cambio de des-

24

tino en la fuerza policial, el mismo cambio al que se opuso con resolución durante largo tiempo hasta que no le quedó otra alternativa que aceptar para no ser dado de baja. Ahora se le aparece como un regalo inesperado, un premio a su trayectoria conducida con viveza.

"¡¿Puán?!", había dicho cuando se lo comunicaron. "¿Y dónde queda eso?", preguntó con ignorancia. Nunca se hubiera imaginado que en un pueblo que poco tiempo atrás había sido un fortín, recóndito, perdido en el suroeste de la provincia de Buenos Aires en el límite con La Pampa, hubiese tantas cosas por hacer, tantas posibilidades diversas y todas ellas, por cierto, bien retribuidas.

"Desvístase", le ordenó intempestivamente a su mujer antes de salir a su ronda nocturna. "Desvístase", volvió a indicar con desdén y desprecio como quien toma con autoridad lo que es suyo, lo que le pertenece por derecho propio y está a su merced.

Ella, resignada, indefensa ante el dominio poderoso, sin fuerzas para repeler el mandato, comenzó a sacarse con lentitud el vestido discreto, la prenda floreada que usaba en los quehaceres del hogar, si es que a eso podría llamársele hogar.

Oscuros moretones asomaron brutalmente debajo de la tela gastada, a la altura de los pechos; en los riñones, en los brazos. Un cuerpo transitado a mansalva por el rigor y el horror. La espalda, surcada por rebencazos hirientes y de distintas épocas marcaba el derrotero de una existencia cruel, un camino doblegado por el sacrificio y la sumisión, una prisión sin barrotes pero con divisorios invisibles e infranqueables.

¿Qué podría hacer una mujer para desprenderse de semejante dueño? ¿Adónde podría ir sin que la encontrara inmediatamente y la obligara a volver? ¿Soportaría el castigo inhumano que esa conducta le aseguraba? Sus sensaciones se convertían en punzadas de desesperación reprimida. Se acostó desalentada sobre la cama, boca arriba. Esperó que Martiniano Pardo apenas se bajara el pantalón y se echara sobre ella, con mecánica frialdad. Su esposo no hacía otra cosa que delimitar el terreno de su pertenencia. En escasos segundos, cuando hubo terminado, se levantó y se fue. Lo hizo sin decir una sola palabra, ni una sola; no correspondía.

Expediente Judicial número diez mil treinta. Homicidio y Lesiones Gravísimas. Puán, marzo 3 de 1916. De acuerdo a lo que dispone el artículo 159 del Código de Procedimiento Penal, notifíquese que ha sido designado el médico de policía Doctor Sixto Paglialunga para el examen pericial e informes de rigor. Deberá indicar las causas del deceso de la persona fallecida y el estado actual de salud del herido que se halla internado en el Hospital Municipal local. Firmado Modesto Rivarola. Comisario.

Puán, marzo 3 de 1916. La Instrucción resuelve recibir declaración testimonial en legal forma a todas las personas que resultaren con conocimiento o conexión con el hecho que se investiga. Modesto Rivarola. Comisario.

Presenta pericia médica.
Señor Comisario:
Informo a Usted bajo juramento de ley que he revisado el cadáver inmediatamente después de haber sido encontrado. Presentaba dos heridas de bala en el vientre con orificio de entrada. Uno en el flanco izquierdo y el otro en la fosa ilíaca derecha. Ambos sin orificio de salida. Como se trataba de heridas penetrantes requirieron la presencia de un colega con el objeto de practicar la intervención y los cortes

quirúrgicos indispensables. Esa tarea se hizo aproximadamente una hora después del hallazgo. Se practicó una laparotomía exploradora, mediana infra umbilical y se constató la presencia de un derrame sanguíneo de grandes proporciones que ocupaba toda la cavidad abdominal. Después de cuya evacuación se llegó a la conclusión de que era producido por la herida que penetraba por la fosa ilíaca derecha, con dirección de arriba hacia abajo que tomó la vena ilíaca interna, origen de la hemorragia. Luego pasé a la exploración del intestino que presentaba a nivel del yeyuno ileón cinco perforaciones cercanas unas de otras, todas en una longitud del intestino no mayor de quince centímetros. Dichas perforaciones, de características redondeadas y de un diámetro medio de uno a dos centímetros cada una, han sido producidas por el mismo proyectil en un área intestinal arrollada una o más veces sobre sí misma. Se procedió a la sutura de la perforación más alejada y luego a la resección de la porción intestinal que abarcaba las otras cuatro quedando separada una porción de unos doce centímetros de largo. Aunque innecesariamente, dado el fallecimiento de la persona respecto de la cual se realizaba la pericia, se hizo más tarde la reunión de los dos tubos intestinales. Previo lavaje se exploró la cavidad abdominal no constatando lesiones de importancia al nivel del orificio de entrada de la bala y de la región del flanco izquierdo. Por todo ello considero que el shock traumático sumado a la abundante hemorragia interna sufrida es la causa inmediata de la muerte. Agrego que en caso de haber sobrevivido a los impactos de bala, eventualmente sometido a una intervención quirúrgica, la peritonitis sobreaguda que fatalmente sobrevendría igual lo *hubiese matado. Es todo cuanto tengo que informar. Dios guarde a Usted. Firmado Doctor Sixto Paglialunga. Médico de policía designado perito.*

Ramona Pedraza, española, viuda, setenta años de edad, ocupada en tareas del hogar, instruida, rentista, tiene domicilio en el pueblo de Puán, partido de igual nombre en la Provincia de Buenos Aires.

Ramona Pedraza recibe en su casa la inusual visita de Angélica Vitángeli de Serenelli, la esposa del zapatero; la mujer que se encarga de atender al público en el negocio familiar. Allí vende los zapatos que confecciona su esposo, y entrega a los clientes, además, aquellos calzados de cuyo arreglo también se ocupa Pietro Giovanni Serenelli. La presencia de Angélica en su domicilio no es habitual. En todo caso constituye la excepción después de años sin trato. Pero en esta oportunidad tiene un único interés: comentar las posibles coincidencias entre los robos que ambas han sufrido días atrás. Tal vez, incluso, haya otra finalidad inconsciente y perentoria: unir los desconsuelos, disminuir las angustias. El problema de los ilícitos reiterados ha comenzado a preocupar en Puán y en la zona.

Nunca habían cruzado palabra entre ellas, jamás, salvo los eventuales saludos de cortesía en la Iglesia San Pedro los domingos por la mañana, antes o después del servicio religioso. No existe otra relación. Y esta circunstancia no es fortuita, sino lógica. Doña Ramona Pedraza no sale nunca de su vivienda a excepción de la indicada concurrencia al culto dominical. No tiene tratos con nadie. No tiene parientes ni amigos en el poblado. El escribano es quien se encarga de sus trámites personales, más bien, de sus escasos trámites personales. Son las diligencias que debe realizar en la comuna, el ordenamiento de las tasas y los impuestos; los depósitos y las extracciones bancarias. Se ocupa también de los pagos de sus deudas en las proveedurías y de algunas otras menudencias. El mismo profesional le lleva los comprobantes a domicilio para que ella no tenga que molestarse ni salir a caminar por las calles irregulares y polvorientas del vecindario. Claro que cobra por esas tareas, los escribanos de pueblo no suelen hacer filantropía.

Por otra parte, María Ceñudo es la obligada de hacer las compras, el resto de los mandados y proveer de los elementos necesarios para una ordenada vida doméstica. De modo que la existencia de doña Ramona queda atenaceada entre las paredes de la amplia casa señorial.

Ambas mujeres conversan con la intranquilidad común de las víctimas de delitos recientes, con la incertidumbre que otorgan los miedos que aún no han cicatrizado, los miedos frescos. Mientras tanto, María Ceñudo, la criada, les sirve el té en las mismas tazas, la tetera y la azucarera que se salvaron de la saña embrutecida del ladrón, del desembozado resentimiento que lo enfermaba. Tiene algunas vendas y un pañuelo en el cuello que le tapa la herida. Se la nota muy afectada, con el dolor interno crónico que únicamente ocasionan las agresiones sexuales. Sólo su patrona conoce el asunto de la violación. Nadie más. Ni el médico ni la policía ni el Juez recibieron la denuncia por ese crimen horrendo. Y está bien ocultar el hecho que la mancilla, debe respetarse su honorabilidad. De otra manera su honra quedaría marcada para siempre y difícilmente consiguiera casarse. Eso es lo que ella piensa y en eso también ha coincidido doña Ramona Pedraza, que debió ayudar en el limpiado, la desinfección y las curaciones. Entre las dos decidieron esconder la ferocidad que soportó el cuerpo de María, aunque como se sabe, en estos casos ninguna ayuda es suficiente.

La criada tal vez se lo cuente al cura, pero en secreto de confesión, no de otra forma, asegurándose de que nadie se entere de su desgracia.

Angélica Vitángeli de Serenelli, mientras tanto, relata lo sucedido en su vivienda y en el local de la zapatería. Lo hace con profunda congoja, con la impotencia que siempre provoca la impunidad de un hecho que debiera ser castigado pero que aún permanece sin sanción. El dolor todavía joven, la herida abierta, apenas la deja pensar en otras circunstancias de su vida que, por lo valiosas, tendrían que alentarla hacia el olvido. Sin embargo, con la simple observación del semblante de la mujer resulta evidente que se encuentra abrumada por una tristeza plomiza. Una depresión que la asfixia con intensidad. Parece, incluso, que nunca se le va a retirar. Al menos hasta que las cuentas con el malhechor queden saldadas. Es sabido que la venganza, aun cuando nada devuelva, suele actuar como bálsamo.

Describe el destrozo de zapatos en el taller, la inutilización maliciosa del cuero sin uso, la rotura innecesaria de estanterías y el corte sin sentido de los cordones, los tacos y las medias suelas compradas en Buenos Aires, listas para su colocación. Cree con certeza que narrando el hecho que la aflige disminuirá su pesadumbre. Piensa que a medida que lo saque de su interior, y cuantas más veces lo cuente, más rápido desaparecerá la pena. Y no sólo lo cree, sino que, inexplicablemente, así va sucediendo.

No obstante, mientras comenta los pormenores del daño padecido, no puede evitar amargarse en medio de su monólogo cargado de angustia. Se le caen varias lágrimas gruesas que trastabillan con los lunares de su rostro; lágrimas por el ahorro perdido, por la mercadería dilapidada, por el esfuerzo de tantos años echado a perder. Saca una y otra vez el pañuelo y las seca en medio del llanto extendido que ya le ha ganado la batalla a la resistencia.

Doña Ramona la consuela, y María, no muy lejos de allí, deshecha en su propia aflicción, piensa para sí: "sólo son bienes..." y "puede contarlo...".

Se llevaron también los sesenta pesos que guardaba en la caja registradora, los que le aseguraban la futura compra de elementos de reposición para el taller de calzado.

Angélica Vitángeli de Serenelli, italiana, de cuarenta y cuatro años de edad, sabe leer y escribir. Es casada, tiene cinco hijos y se domicilia en el pueblo de Puán, en la misma manzana de la talabartería, haciendo cruz con la panadería de Hermenegilda Zabala Cifuentes.

Angélica Vitángeli de Serenelli llora. Pero sabe que el desconsuelo nada le devolverá. Nada le reintegrará. Lo sabe. Es hora de comenzar de nuevo, desde el principio, tal como hizo con su esposo hace unos años cuando llegaron a la Argentina, cuando apenas conocían el idioma.

Deberá levantarse más temprano, deberá acostarse más tarde, deberá trabajar más horas, más días. Y deberá hacerlo si no quiere tener hambre y pasar por las privaciones que algunos de sus compatriotas soportan en Europa, en medio de la guerra. Sabe que lo hará, sabe que no tiene otro camino. Ni siquiera le es posible regresar a su tierra. No tiene con qué. Se plantea nuevamente el desafío de empezar por segunda vez como si recién llegase de Italia. Y, muy en el fondo, confía en el respaldo del oficio de su esposo. La tranquiliza el negocio en marcha y el apoyo de los clientes. Además, lo puede contar y puede llorar. A diferencia de María Ceñudo, puede llorar en público. Y no está condenada, como ella, al recuerdo obligatorio y recurrente que siempre provoca un ataque sexual.

En el momento en que la esposa del zapatero se retira de la vivienda, Ramona Pedraza le entrega veinte pesos que Angélica Vitángeli rechaza una y otra vez. No está acostumbrada a recibir limosnas, le han enseñado que esa conducta no está bien. Lo ha aprendido en Italia, en Cremona, en la ciudad que se eleva a orillas del Po, donde vive su familia. Su carácter emprendedor también se lo impide. El espíritu de lucha que la acompaña desde siempre no le permite esa debilidad. Pero Ramona insiste con mayor empeño. Desecha las reiteradas negativas. Más que ofrecer obliga, como en realidad alguien debe hacer cuando quiere ayudar. Entonces, Angélica termina aceptando a regañadientes el dinero que se le extiende. Y así como lo recibe, está segura que lo devolverá. Jura que lo devolverá. Y lo jura besando un crucifijo que cuelga sobre su pecho.

Expediente Judicial número diez mil treinta. Homicidio y Lesiones Gravísimas. En Puán, a los ocho días del mes de marzo de mil novecientos dieciséis, compareció ante la Instrucción una persona de sexo femenino, previamente citada, quien fue enterada de las penas con las que la ley castiga el falso testimonio. Previo juramento de ley que prestó en legal forma de decir verdad de cuanto supiere y le fuere preguntado, manifestó llamarse Ramona Pedraza, ser de nacionalidad española, de setenta años de edad, de estado civil viuda, rentista, ama de casa, sabe leer y escribir, se domicilia en la esquina de las calles Rivadavia y Humberto Primero de este pueblo de Puán, frente al negocio del acopiador de granos Plácido González, a unos cincuenta metros del taller de Aristóbulo Benavídez y a cien del antiguo Mercado Viejo. Preguntada después si conocía a la víctima y al victimario, al fallecido y al lesionado y, en su caso, si para con alguno de ellos le comprendían las generales de la ley que le fueron explicadas, contestó que no. A otras preguntas que se le formularon, dijo: Que el día veintiséis de febrero pasado participó de una reunión con otras mujeres vecinas también de este pueblo de Puán en el domicilio de la Señora Angélica Vitángeli de Serenelli, precisamente en el local donde funciona la zapatería de su esposo el Señor Pietro Giovanni Serenelli. Dicha junta se realizó para continuar con las conversaciones y los planes tendientes a recaudar fondos que van a ser destinados a la

compra de útiles escolares. Dijo la testigo que como todos sa-
ben ya que es de público conocimiento, hay muchas familias
que no pueden hacerse cargo de esos costos debido a la enor-
me crisis económica que afecta la zona. Hay gente, más que
en otras épocas, sin trabajo efectivo y sin posibilidad de ob-
tener dinero para destinarlo a esa clase de gastos. Prosiguió
diciendo la Señora Pedraza que el inminente comienzo del
ciclo lectivo las apuró y obligó a tomar iniciativas como la
que ahora comenta. En consecuencia, congregadas en esa
ocasión para tratar los asuntos acuciantes a los que se ha re-
ferido, las vecinas efectuaron distintas propuestas. En princi-
pio se pusieron de acuerdo para realizar pedidos de donacio-
nes a los hacendados más reconocidos de la región;
conversaron también sobre la posibilidad de preparar y com-
prar tortas y postres que después serían vendidos en la feria
dominical. Por último, distribuyeron las tareas que les permi-
tirían reclamar y conseguir la autorización municipal necesa-
ria para lanzar a la venta un bono contribución. En fin, pro-
puestas de tipo altruista, dijo la declarante. Acto seguido el
Señor Instructor la interrumpió y le solicitó que la narración
se centrara en lo que había visto o sabía del crimen que se
investiga en estas actuaciones. Tal intervención del Subcomi-
sario Emiliano Cortázar provocó el inmediato enojo de la Se-
ñora Ramona Pedraza que consideró la intromisión del ofi-
cial en su relato como una falta de respeto y una carencia
completa de delicadeza, propia de gente sin educación, de
personas que adolecen de las normas más elementales de
cortesía. Sin embargo, calmados los ánimos después de las
disculpas del caso, que la testigo aceptó, continuó con su alo-
cución. Y dijo que terminada la reunión a la que hizo referen-

36

cia, las mujeres presentes comenzaron a salir del local comercial donde aquélla se había desarrollado. Serían aproximadamente las veintidós horas y quince minutos o veintidós treinta. Con esa falta de precisión la Señora Pedraza quiso dar a entender que lo importante no era determinar la hora exacta, por otra parte no la recordaba con puntualidad, sino indicarle a la Instrucción que era de noche. Y el dato es valioso, expresó, porque se trata de una calle con muy poca iluminación. Se detuvo a aclarar, además, que usa lentes y que en ese momento no los tenía puestos. De modo que poco y nada es lo que pudo decir al respecto. Sin embargo percibió la presencia cercana, unos quince metros más o menos, de dos hombres que discutían en voz alta. En principio reconoció que le restó importancia al hecho, suponiendo que se trataba de una pelea normal entre gente ebria, una discusión menor, sin trascendencia. Tal vez un cambio fuerte de opiniones entre dos personas conocidas. Pero dijo que cuando ya se hubo despedido de las otras mujeres y comenzaba a caminar en dirección a su domicilio, escuchó gritos y el sonido de un silbato, de esos que usa en algunas ocasiones la policía para pedir auxilio a otro integrante de la fuerza. Con ello presume que uno de los contendientes era un agente del orden. Inmediatamente después comenzó a escuchar las detonaciones de las armas de fuego, por lo que, sorprendida y asustada, inició una carrera hacia la plaza del pueblo que se encuentra más iluminada. Y cuando hablaba de carrera, convengamos, dijo, dentro de las escasas posibilidades de locomoción que puede tener una mujer de setenta años, claro. La Señora Pedraza, en su declaración, también quiso atestiguar que las otras personas que habían estado en el mismo lugar junto a ella, y luego permanecieron conversando en la esquina de General Lavalle y Laprida después de su despedida, la superaron en la carrera siempre hacia el sector donde se encuentra la plaza, hacia el sector iluminado. Incluso la ayudaron para evitar que tropezara. En ese momento cree haberse cruzado con el agente policial Donato Malaspina que se desplazaba en sentido contrario al de las mujeres que integraban su grupo. De modo que, intuye, el nombrado se dirigía al sitio donde se desataba la balacera. La Instrucción le aclaró a la deponente que no se trata de un agente sino de un Oficial de Policía. Esta aclaración promovió una nueva disputa entre la testigo Pedraza y el Subcomisario Cortázar acerca de la importancia o intrascendencia de la interrupción y en su caso, del acierto o desacierto de hacer constar en acta tan nimia circunstancia. Respondiendo a diversas preguntas que se le formularon sobre el delito que se investiga, la declarante informó que cree haber escuchado unas cinco o seis detonaciones. No está segura, tal vez menos, tal vez más... No lo sabe a ciencia cierta. Acto seguido, a otras interrogaciones que le efectuó la Instrucción contestó que en todo momento estuvo a su lado María Ceñudo, su criada, que la ayudó a ir sorteando los baches que se encuentran en la calzada. La testigo aprovechó la oportunidad para quejarse del mal estado de las calles en contraposición a las altas tasas que cobra el ente comunal. Manifestó después que durante la corrida se detuvieron un instante a descansar en la esquina donde se halla la carpintería de Vicente Bufarini, en unión con la propiedad del boticario Romualdo Antúnez. Dijo que fue un segundo nada más e inmediatamente continuaron su marcha en dirección a la plaza. Que es todo cuanto tiene que declarar. Se le exhibieron en el acto un revólver Goliat calibre treinta y ocho, cabo de pasta negra y otro marca Colt, también calibre treinta y ocho, identificado con el número dos mil veinticuatro. Preguntada si los había visto con anterioridad y si sabía a quiénes pertenecían, o si eran los que portaban las personas que discutían en la esquina de General Lavalle y Laprida, contestó que no pudo ver si los sujetos portaban armas debido a la oscuridad reinante y a la poca visión con que cuenta la declarante. Indicó también que nunca ha visto esas armas con anterioridad y que no sabe quiénes son sus dueños. Dicho esto terminó el acto previa lectura que de la presente se le dio por rehusar del derecho que le asiste a verificarla de por sí, la ratificó y firmó para constancia. Siguen las firmas de la testigo, del Subcomisario, del escribiente y del Comisario.

Belisario Roque Peredo sabe bolear. Es una tarea que ha aprendido de niño, en el campo. Y lo ha hecho casi al mismo tiempo en que aprendió a usar el cuchillo. Domina ambos instrumentos a la perfección. No sabe leer ni escribir, pero sabe usar las boleadoras y el facón, que es mucho más importante, por supuesto.

Tiene una linterna en su mano izquierda y la usa para equiparar la ventaja ajena. Ilumina primero el alambrado y después el potrero. Ve las vacas y los terneros cerca y se alegra porque no tendrá que correr demasiado para alcanzarlos. Salta y cruza las púas. Siente las matas de pasto irregular debajo de sus alpargatas ajadas y se mueve con sigilo para no espantar a la manada.

Ya ha elegido a su presa y difícilmente se le escape; en este tipo de actividades no suele acaparar derrotas. Jamás debe lamentar sinsabores.

Los animales comienzan a desplazarse ante la aparición del peligro cercano. Al principio con lentitud, casi con cautela, y luego, repentinamente, al trote cuando presienten el ataque inminente. Al típico trote ladeado de los vacunos.

Belisario corre en dirección a la bestia elegida. Y lo hace alcanzando una llamativa velocidad que no es común entre la gente, ni siquiera entre las personas entrenadas para ello. Pero lo que más sorprende es que en medio de la corrida, como si no le costara ningún esfuerzo hacer ambas cosas a la vez, levanta su brazo y con rapidez lanza un bolazo que se enrolla en las patas del animal. La vaca, en su carrera, cae y da varios tumbos contra el suelo, con la torpeza propia de los pesados. Antes de que pueda levantarse, o en el momento en que intenta hacerlo, el hombre ya está encima impidiendo el movimiento. A toda velocidad improvisa un nudo con las cuerdas de cuero en las extremidades posteriores y las ata con una de las anteriores, de modo de doblegar la resistencia del bovino.

No existe posibilidad alguna de huida: el animal yace a su disposición.

Belisario, ahora con tranquilidad y lentamente, mira y toca a la bestia indefensa, a su merced. Observa los ojos bien abiertos y los postreros esfuerzos del animal por zafarse de las ataduras. Sabe que la vaca intuye el desenlace final. Y entonces él decide no hacerse esperar. Saca su cuchillo y degüella a la vaca de un solo tajo, con una sola cortada profunda y precisa. El metal perfora la arteria y mientras sale la sangre, se escapa la última bocanada de aire, el estertor característico de los moribundos.

Después se impone la tarea de despostar las partes que necesita, tan sólo lo que podrá utilizar antes de que la carne se ponga en mal estado y despida el insoportable olor que la torna incomible. El resto quedará sobre la hierba.

Abre, corta y extrae el lomo que coloca en una bolsa, luego un poco de falda, sectores del costillar, de paleta, pulpa, tiras con y sin hueso. Desanuda las boleadoras de las patas inertes y sabe que su faena ha terminado. Deja la res tirada que será alimento de carroñeros y camina satisfecho hacia el alambrado cargando el botín a su espalda. Guarda

41

su facón manchado de sangre e ilumina con la linterna el camino para evitar tropiezos. Otro golpe marcado por la eficacia. Sonríe como lo hacen los cuatreros después de consumar el robo de ganado.

Martiniano Pardo ingresa en su casa después de su acostumbrada ronda nocturna, la ronda que ha ordenado el comisario para prevenir delitos. Su mujer duerme, en realidad, simula dormir. Pero eso a él no le importa. No le interesa si duerme, si está despierta, de pie o acostada. No le interesa en lo más mínimo. Todo lo que hay dentro de su vivienda le pertenece y en consecuencia, puede utilizarlo cuando le plazca. Ahora, justo ahora, le place.

"Mujer, levántese y hágame unos churrascos que tengo hambre", ordena. Deja sobre la mesa una bolsa con carne de la cual todavía chorrea sangre fresca. "¿Me oyó?"

Su esposa, como cualquier persona, sabe que a esa hora de la noche no hay carnicerías abiertas ni lugares en donde se puedan adquirir pulpas de ternera. Pero no dice nada, nunca dice nada. La atormenta el miedo a las represalias. Su cuerpo y su mente esclavizados son incapaces de esbozar consideraciones y menos contradecir las órdenes y los deseos de Martiniano Pardo.

Se levanta casi como un espectro y camina en silencio hacia la cocina después de recoger de la mesa la bolsa con carne. No puede hacer ruido, no puede porque lo tiene prohibido; es una disposición absoluta y terminante de su dueño. La pobre cree que si cumple con las exigencias de su esposo evitará las palizas. Cree que consintiendo todas sus pretensiones eludirá esos golpes furibundos que ya no puede resistir. Lo cree, es verdad, pero está equivocada. Y muy en el fondo, también lo sabe.

Martiniano Pardo corta y come el churrasco. Engulle trozos de pan, toma vino y fuma, todo a la vez. Mezcla la carne jugosa con el líquido tinto, la miga y el humo. Forma un bocado distinto de cualquier otro, una especie de porquería intragable que sólo a él le gusta. Mientras mastica, lanza el humo por la nariz.

Su esposa está de pie, a su espalda, en un mutismo propio de la sordera, tal como él le enseñó, esperando a que el hombre termine de comer para levantar el plato, el vaso y los cubiertos. Luego los lavará junto con la plancha de los bifes y oreará un poco la habitación porque a Pardo le molesta el olor que deja la carne asada y los restos en los útiles de cocina.

Ella desconoce qué es lo que ha hecho mal, pero está segura de que los golpes se acercan. En escasos minutos las trompadas volarán en el aire y ella será la destinataria. Ella las atrapará con su rostro y con su cuerpo.

Se esfuerza, una y otra vez, sí, se esfuerza. Recuerda cada uno de sus pasos, cada uno de sus movimientos. No alcanza a descubrir dónde estuvo su error. No puede hacerlo.

No ha chorreado sangre de la bolsa en el piso, de modo que ése no es el motivo. La mesa estaba limpia tanto como el tenedor y el cuchillo. Tampoco se ha demorado en la preparación. Sirvió el vino en una jarra de la manera en que a su esposo le gusta. La carne estaba a punto, ni cruda ni cocida en exceso. Entonces no sabe, se esfuerza pero no lo consigue. No puede encontrar su equivocación.

Reza en silencio. Reza tratando de superar el terror. Reza pidiendo que no sea muy doloroso, por lo menos no tanto como en las últimas ocasiones. Se encuentra en medio de sus ruegos religiosos cuando su esposo finaliza la cena, eructa ruidosamente, toma otro trago de vino y enseguida está de pie frente a ella, que cierra los ojos presa del pánico, entregada, con la desesperación de los condenados en forma definitiva.

El primer golpe brutal se incrusta en su panza, apenas arriba del ombligo. Cae al piso doblada de dolor, casi sin aliento, buscando perentoriamente el aire que de pronto le falta.

Martiniano Pardo se agacha, la agarra de los cabellos y la pone otra vez de pie para tenerla al alcance exacto de sus próximos puñetazos. Sabe que va a detenerse sólo cuando le duelan los nudillos. No antes. Ésa es la manera que tiene de darse cuenta de que debe dejar de golpear.

La noche, desgraciadamente para la mujer, apenas comienza. Y entre trompazo y trompazo, a la pobre se le escapa en voz alta parte de un Ave María que reza una y otra vez con desesperación en medio de su tragedia.

No caben dudas de que el delirio le dicta la oración.

Expediente Judicial número diez mil treinta. Homicidio y Lesiones Gravísimas. Puán, marzo ocho de mil novecientos dieciséis. Compareció una persona que fue impuesta de las penas con que la ley castiga a los testigos falsos. Previo juramento que prestó en el acto y ante la misma Instrucción de decir verdad de cuanto supiere y le fuere preguntado, comenzó el interrogatorio. Manifestó llamarse María Ceñudo, ser de nacionalidad española, de veintiún años de edad, empleada en tareas domésticas, con educación primaria completa. Se domicilia en el mismo lugar en donde presta su actividad laboral, en la casa de Doña Ramona Pedraza ubicada en la esquina de las calles Rivadavia y Humberto Primero de este pueblo de Puán. Preguntada si conocía a las personas por las cuales se instruyen estas actuaciones, a las supuestas víctima y victimario del delito bajo averiguación y si con ellos tenía trato o parentesco, contestó que no. Por tal motivo, dijo, no le comprendían las generales de la ley que le fueron explicadas. Sin embargo, aclaró que cree haberlos visto en alguna oportunidad. Al policía en este mismo edificio y al otro sujeto en el almacén de la familia Bermejo, aunque no pudo confirmar tal respuesta. No estaba segura. Relató la deponente que el día del hecho acompañó a su patrona a una reunión que tenía con otras personas. Explicó que eran todas mujeres. La indicada cita se produjo en el negocio de zapatería de la Señora Vitángeli de Serenelli. En medio de su decla-

ración, cuando la testigo se encontraba narrando el motivo por el cual se encontraban en ese lugar, fue interrumpida por la Instrucción solicitándole que expusiera lo que sabía puntualmente del hecho. Por otra parte se le advirtió que no debía detenerse en nimiedades o en situaciones que nada tenían que ver con lo que se averigua en esta causa penal. Inmediatamente la declarante pidió disculpas por haberse extendido en su relato ya que, según dijo, nunca había sido testigo con anterioridad y desconocía la forma en que debía responder concretamente a lo que se le preguntaba. Aclarado el punto continuó con sus respuestas. Manifestó que la reunión terminó a las diez y diez o diez y cuarto de la noche y que en ese momento salieron del local. Allí habrán estado dos o tres minutos conversando hasta que su patrona decidió retirarse. Luego se despidieron de las otras concurrentes y juntas iniciaron el camino de regreso hacia el domicilio donde viven. Expresó que antes de esa circunstancia, mientras su patrona consideraba y ofrecía propuestas a las otras mujeres, observó a dos hombres que se hallaban a escasa distancia. Si bien la calle carece de iluminación artificial, comprobó que uno de los sujetos llevaba el uniforme policial. En ese momento de su declaración reiteró que cree haberlo visto en el pueblo, en la comisaría, o en algún otro lugar u oportunidad. Y esa sospecha surgía, dijo, puesto que una vez tuvo que concurrir a esta misma institución para hacer una denuncia por robo y lesiones. Tal vez se haya cruzado con él en esa ocasión. No estaba en condiciones de afirmarlo aunque era una posibilidad cierta. De todas maneras insistió en que no conocía su nombre ni sus cualidades personales. Declaró haber escuchado con precisión que los hombres discutían elevando a cada

46

instante el tono de voz. Sabe bien, entonces, que entre ellos se produjo primero una disputa verbal y luego la agresión armada. Entendió que se estaban pidiendo cosas, objetos, dinero, como si se conocieran con anterioridad y se reclamasen obligaciones pactadas. Dijo también que le parece haber visto al policía en el momento en que extrajo su arma. Supuso por tal razón que llevaría detenido al otro individuo a la comisaría. Inmediatamente después, ella y su patrona, comenzaron a caminar en dirección a la vivienda de esta última. De modo que se desentendió del problema por considerarlo un asunto solucionado. Sin embargo, y en tanto se desplazaban, oyó gritos que provenían del lugar y luego el silbato que usa la policía. Por ello cayó en la cuenta de que el problema era serio y no había sido resuelto como pensara en un primer momento. Entonces decidieron acelerar el paso para alejarse del sitio y evitar complicaciones, sin imaginar que momentos después comenzarían a sonar los disparos de armas de fuego. A otras preguntas que se le formularon acerca de por qué creía que los hombres se conocían con anterioridad o qué clase de reclamaciones se efectuaban, indicó no estar segura de lo que decía, pero le pareció que el policía le exigía dinero que el otro sujeto habría guardado para sí. La Instrucción le pidió a la testigo mayores precisiones frente a lo cual la deponente insistió en que no podía darlas, aunque sí aseguró que el agente policial le estaba solicitando dinero. Y se lo estaba pidiendo como si fuera propio. Inquirida la Señorita Ceñudo si recordaba haber visto al otro hombre con anterioridad, contestó que le parece que esa circunstancia se produjo en la proveeduría de calle San Martín, en una ocasión en que tuvo que hacer unas compras para Doña Pedraza. Presume que se trataría de alguien del pueblo ya que se manejaba con mucha familiaridad. Con conocimiento de los lugares y las personas. Todo ello, claro, si fuera la misma persona a la cual se refirió. Exhibidas que le fueron las armas secuestradas en el lugar del hecho, reconoció el Colt calibre treinta y ocho número dos mil veinticuatro como la que portaba el policía. Aclaró que si no era ésa se trataba de una muy parecida. En cuanto al revólver calibre treinta y ocho marca Goliat dijo no haberlo visto jamás. A otras preguntas que se le efectuaron respondió firmemente que las detonaciones escuchadas fueron cuatro. No más ni menos. Cuatro, reiteró convencida. Preguntada si tenía algo más que agregar, contestó que había movimientos y ruido de máquinas en el negocio de panadería de la Señora Zabala Cifuentes, circunstancia que la lleva a pensar que la nombrada, o quien se encontrase trabajando en ese lugar, podría aportar algún dato importante a la investigación. No siendo para más, leída que fue el acta, firmó la compareciente por ante la Instrucción de lo cual se da fe. Siguen las firmas de la testigo, del Comisario, Subcomisario y oficial escribiente.

Margarita Weissmüller, alemana, soltera, veinticuatro años de edad, no conoce el idioma, no puede darse a entender por escrito en español. Carece de posibilidades de comprender el contenido de actas judiciales si es que éstas, en algún momento, le fueran exhibidas. Se domicilia actualmente en una casa precaria ubicada a la entrada del pueblo de Bordenave, distante unos treinta y cinco kilómetros de Puán, Provincia de Buenos Aires.

Margarita Weissmüller ejerce aquí el mismo oficio que desarrollaba con éxito en su Alemania natal. De todos modos, en ambos ejercicios de un lado y otro del Atlántico hay semejanzas y diferencias notorias.

En Hamburgo, prestaba sus servicios sexuales en una espaciosa casa señorial de habitaciones amplias e iluminadas, plena de comodidades. Los hombres que concurrían, los hombres en su inmensa mayoría maduros que concurrían, pertenecían a una clase acomodada que podía afrontar el costo elevado de las tarifas vigentes. En cambio, en Bordenave, trabaja en un burdel de mala muerte construido a la vera del camino de tierra que conduce a Darregueira.

El sitio posee una señalización inconfundible: lámpara pintada de rojo colgada encima de la puerta. No existe mejor forma de identificar la actividad.

Allí atiende a los paisanos de la zona. Gente de campo

con olor a bosta del ganado que abona magras cantidades de dinero para tener acceso a ella, a su cuerpo blanco y pulposo. Sin embargo, los servicios que presta a los parroquianos son los mismos, los realiza con iguales habilidades e idéntica dedicación con que los efectuaba en Europa. Antes de venir a la Argentina trabajaba exclusivamente por la habitación y la comida. Ahora, al menos, además de esa inevitable retribución, recibe una cuarta parte del precio que pagan los clientes. Suma que ella atesora y ahorra con tanto entusiasmo como sacrificio.

En Alemania era poco menos que una esclava. Y aquí, por supuesto, también.

Llegó huyendo del brazo largo de sus dueños explotadores. Es posible que algún día huya de los dueños explotadores que tiene en Bordenave.

Los dos hombres la esperan en la sala. Beben caña y ginebra que un mozo joven les ha servido. Es tan escasa la luz de la única lámpara encendida y hay tanto humo de chala en el aire que ni siquiera se distinguen los rostros de los concurrentes, apenas sus siluetas, o sus contornos borrosos. Otras tres prostitutas, excedidas en peso y de rostros aindiados, intentan acercarse a la mesa que ellos ocupan. Pero los hombres las rechazan, más bien las ignoran, o las descartan de plano como si no estuvieran en el boliche, peor, como si no estuvieran en el mundo. Ninguno de los dos se caracteriza por los buenos modales.

Han venido desde lejos para que no los reconozcan. Han oído mucho sobre "la alemana", sobre sus calidades y destrezas. Tienen dinero para gastar y les sobra voluntad para destinarlo al sexo pago y al alcohol blanco. Por lo pronto, deben aguardar el retiro de alguien que se les adelantó: un gaucho viejo de panza prominente y sombrero negro, con bombachas y rastras cuyas monedas tintinean al andar. No les importa, no tienen apuro. Ni siquiera les molesta ser primeros, segundos o décimos, cuanto más tarden en entrar al cuarto más disfrutarán en él. Saben que la demora, en estos casos, tiende a excitar, eleva el calor y acentúa las ganas.

No hablan entre sí, no lo necesitan. Tan sólo permanecen pendientes del paso del tiempo. No son amigos, a lo sumo, socios, o cómplices, que es una palabra más precisa. Han pagado una buena suma de dinero al propietario del lugar. De modo que se les permitirá entrar juntos y tener un tiempo generoso para disfrutar, mucho más que cualquier otro cliente ocasional.

La ginebra y la tardanza les provoca una oscura ansiedad por el encuentro. Un perverso deseo retenido. Por ese motivo, cuando después de un rato les toca el turno, se levantan de sus sillas con resolución, decididos y seguros, como quien va en procura de un premio o de una recompensa.

Caminan un poco embriagados hasta el cuarto modesto. Tal vez con la cuota justa de alcohol como para evitar las dudas.

Al ingresar, lo primero que ven es la lámpara amarilla adosada a una de las paredes laterales de la pieza. Una lámpara de luz mortecina, débil, apenas algo más que tres o cuatro fósforos encendidos a la vez. Esa ausencia de claridad es la que caracteriza a todo el prostíbulo, la que le brinda el aspecto funesto que describe el ambiente con marcada exactitud.

51

Si se observa con detenimiento se verá que no hay diversión. Y no la hay en los anfitriones ni en los parroquianos. En realidad, sólo están allí, unos y otros, para el cumplimiento de tareas mecánicas, repetidas. Forman parte de una rueda que gira de manera involuntaria y permanente; un mecanismo que sirve para cumplir con la obligación que a todos ellos los somete.

Una cama grande de dos plazas y una mesita de luz son los únicos muebles de la habitación. En un costado hay una palangana con agua fresca cuya utilidad es obvia: el aseo de los genitales antes y después del coito. El líquido del recipiente se cambia una y otra vez luego del paso y la posterior retirada del feligrés de turno. Y esa circunstancia parece indicar que en el sitio se toman las precauciones higiénicas adecuadas.

Ella los recibe de pie, vestida sólo con una bata abierta que deja ver la desnudez sinuosa debajo de la tela. Es alta, muy alta, rubia. Su cuerpo tiene el color de la leche, sus pezones son grandes y claros.

De uno de los hombres se desprende una pestilente fetidez a ajo, un tufo grosero que se mezcla con el olor de la mugre que arrastra en su contextura desde hace años.

El otro es morocho, fornido, con los cabellos cortos y engominados. Sobre sus labios se dibuja un bigote tipo manubrio, prolijo, que denuncia sin dilaciones el fenotipo del policía.

Belisario Roque Peredo le da un beso en la boca. Pasa su lengua por la de la mujer mientras se saca la camisa y desprende el cinturón amarrado fuera de las presillas. Margarita Weissmüller, por su trabajo, ha lamido sobre la roña y ha olido infinidad de hedores, pero está segura de que nunca ha tenido que soportar uno semejante, un aroma repugnante y asqueroso que provoca un rechazo instantáneo. De todas maneras simula no sentirlo, es una profesional en el ocultamiento de sus eternos desagrados. Desde atrás, Martiniano Pardo le quita la bata. Desabotona su bragueta y saca su miembro ya erguido, tieso. Puede disponer de él en cualquier momento.

Sin embargo, el placer de los hombres no transita por el camino convencional ni abreva en los usos de práctica. Busca en la perversidad un recorrido distinto hacia una lujuria también distinta. Por eso, entre las caricias lascivas y los besos malolientes, Belisario de pronto extrae el cuchillo y lo apoya con violencia en el cuello femenino al tiempo que sonríe después de observar los ojos aterrados de la mujer.

La escena se tiñe de truculencia. Una prostituta dispuesta a brindar sus favores, los servicios por los que ha cobrado, repentinamente se encuentra amenazada por un peligro sin justificación, incoherente.

El hombre que está a su espalda la golpea con el puño cerrado a la altura de sus omóplatos y ella tiene que hacer un esfuerzo para no ir hacia delante e incrustarse en el filo de la daga. La brutalidad estimula las pasiones de sus agresores, las espolea, como si de ella dependiese la satisfacción final.

El que está de frente la toma con vehemencia del cabello sin apartar el cuchillo. A la fuerza, con torpeza y brusquedad, inclina la cabeza de la alemana hacia su extremidad firme, la obliga a chupar aunque sabe que esa conducta ya estaba incluida en el precio. Y lo estaba sin necesidad de la intimidación ni de la amenaza criminal.

En esa postura, Martiniano Pardo la penetra por el culo. No conforme con eso, de tanto en tanto, descarga furibundos golpes, incomprensibles, en los riñones.

Margarita Weissmüller se esfuerza por complacerlos, más que nada por el miedo, por la conminación o por ambas cosas a la vez. Pero es ese mismo terror, los puñetazos y las restantes agresiones, las que se lo impiden. Evitan la naturalidad habitual con la que se maneja en la atención de sus numerosos clientes.

Ambos hombres disfrutan con la barbarie, con la crueldad. Están dispuestos a demostrar tantas desviaciones como rudeza. Profieren insultos aunque ella no entienda el idioma. Les sobra voluntad para hacerla sufrir un poco más, para domarla en la jerga de las pampas.

Después de unos cuantos minutos eternos en vejámenes, eyaculan casi al mismo tiempo. Belisario Roque Peredo lo hace en medio de su hediondez nauseabunda. Embadurna la boca y la cara de la mujer con su semen.

Ella no puede elevar ni mover su rostro porque él continúa sujetándola de los cabellos, afirmando el cuchillo en su garganta. Con sus dedos sucios de uñas ribeteadas en negro retiene la nuca de Margarita a la altura de su pubis y supone que esa conducta es una contundente demostración de dominio. En realidad no está muy lejos de serlo. Luego refriega la cabeza indefensa en sus genitales y deja el humor pegajoso impregnado en las mejillas, en la nariz y en los ojos.

Martiniano Pardo también finaliza su tarea dejando sus secreciones en el intestino de la mujer.

Entonces, abatida, ella cree que todo ha terminado, que su calvario por fin culmina, que su pánico se evaporará no bien los clientes salgan de la pieza.

Está equivocada. Nada los apura. Planean permanecer hasta que sus intenciones depravadas se tranquilicen, hasta que sus expectativas enfermas se vean saciadas.

El policía le aplica un áspero sopapo que la hace trastabillar y el ladrón completa la labor iniciada por su compañero con otro golpe que termina por derribarla.

Ha comenzado a sangrar. Tiene el labio partido y una contusión en el pómulo. Le duele la espalda y los riñones. Pronto aparecerán hematomas en su cuerpo terso y pálido. Siente el líquido viscoso que sale de su herida y los restos de semen que merodean alrededor de su boca y dentro de ella. Claro que aquí nada ha terminado, peor aún, recién comienza. Margarita tiene miedo de gritar, tiene miedo de pedir auxilio. Supone que en caso de intentarlo será lo último que haga. Y es posible que esta vez acierte con su pensamiento.

Belisario le da un puntapié en el abdomen que le provoca una nueva contorsión de dolor, otro azote en su ánimo maltrecho. Luego la aferra, la levanta y la obliga a sentarse en un rincón de la cama, no para castigarla, sino para que observe, para que vea con claridad el acto que ellos tienen preparado. Sólo allí cae en la cuenta de los verdaderos planes trazados por sus visitantes.

Belisario Roque Peredo y Martiniano Pardo comienzan a besarse con desenfreno, con la necesidad que ocasiona la espera anhelada.

El agente se agacha y lame con lujuria la erección mugrienta de su cómplice. Lo hace con placer, casi se diría con devoción, con el sentimiento que a ella le ha faltado. El que no ha podido brindar asustada como estaba por el exceso de rigor.

Después, Martiniano Pardo se baja los pantalones y se acuesta con el pecho sobre el colchón. Interna su rostro entre los pliegues de la almohada. Allí aguarda que Belisario penetre su cuerpo y galope acalorado sobre su lomo musculoso.

La mujer mira asombrada, aterrada. No puede creer ni entender. No sabe qué es lo que harán con ella cuando terminen su entusiasta acto homosexual.

Expediente judicial número diez mil treinta. Homicidio y Lesiones Gravísimas. En Puán, a los ocho días del mes de marzo de mil novecientos dieciséis, compareció ante la Instrucción una persona previamente citada que impuesta de las penas con que la ley castiga el falso testimonio, juró decir la verdad de todo cuanto supiere, haya visto u oído. Manifestó llamarse Hermenegilda Zabala Cifuentes. Dijo ser chilena, de cincuenta años de edad y de profesión panadera. Reconoció saber leer y escribir aunque con alguna dificultad. No obstante ello insistió: hace cuentas en forma habitual y natural, sin problemas y en cualquiera de las cuatro operaciones. Expresó también que se domicilia en este pueblo de Puán, en la esquina de General Lavalle y Laprida, donde tiene su negocio y ejerce el oficio ya indicado. Agregó que la aclaración viene a cuento porque el lugar dista apenas unos pocos metros del sitio donde se produjo el hecho que se investiga en esta causa. Preguntada si conocía a la víctima y al otro hombre, al herido, y si con referencia a alguno de ellos le comprendían las generales de la ley que le fueron explicadas, es decir, si era amiga, enemiga, pariente, acreedora, deudora, si tenía interés en el resultado del juicio, si poseía trato íntimo o familiar, con uno o ambos individuos, o si obtendrá algún beneficio o perjuicio con la sentencia que se dicte en este expediente, contestó que no. Dijo no conocer a las partes por sus nombres aun cuando sabía que eran gente del pueblo. Uno de ellos, policía. *Declaró estar segura porque lo ha visto con regularidad en rondas a la noche. También lo vio en la ocasión en que tuvo que concurrir a la comisaría para hacer la denuncia por el robo sufrido en su negocio y el homicidio de su madre. Dijo que aún no ha podido recuperarse de semejante pérdida. El otro sujeto, afirmó la deponente, es un trabajador rural que suele andar por el poblado. Ha observado su presencia en distintos lugares y en varias ocasiones. Comentó, incluso, que solía concurrir a su panadería a comprar, por lo general, bollos con crema. Quizá, lo que más recordaba de ese trabajador era el desconsiderado olor a pie que tenía y el aliento mortificante. Sí. Contestó que decididamente los ha visto a los dos y en forma reiterada. Pero dijo no saber siquiera cómo se llamaban. Por lo tanto, confirmó que no le comprendían las generales de la ley. A otras preguntas que le formulara la Instrucción, en este caso el Subcomisario Cortázar, respondió que el día veintiséis de febrero del corriente año, aproximadamente a las veintidós horas –recordaba el horario porque en ese momento estaba en el sector de su negocio donde se encuentra el primer horno industrial–, escuchó voces cerca de la ventana. Aclaró, aun cuando no le fuera exigido, que el horno industrial al cual se refería sólo se utiliza para elevar y ensanchar la masa a fuerza de levadura y calor. Explicó después que a esa instancia se llega luego de mezclar el agua con harina y con sal encima de los tornos. Previamente se pasa por la máquina sobadora que es la que se encarga de realizar el ablande. A continuación se hacen los cortes a mano en las distintas formas en que van a ingresar al horno de leña: francés, flauta, felipe, hojaldre, de campo, miñón... Dijo la testigo, retomando su relato, que acaba-*

58

ba de colocar la masa en el horno industrial y por ese motivo sabía que eran las veintidós horas, a lo sumo, veintidós diez, o veintidós quince. No más que eso porque jamás se atrasa en sus tareas. Jamás, repitió. Y no ha perdido puntualidad en el desarrollo de sus labores a pesar de los malos momentos que ha debido atravesar en este último tiempo desde el fallecimiento de su señora madre, Doña Hermenegilda Cifuentes Retamal viuda de Zabala Segovia, hecho ocurrido en Puán hace veintisiete días, al resultar víctima del delito al cual se ha referido con anterioridad. Ratificó la deponente que a pesar de tamaña tragedia no ha dejado de trabajar un solo día ni de cumplir con su actividad en forma regular, respetando los horarios y la calidad de sus productos para que los ciudadanos del pueblo de Puán sigan recibiendo y comprando sus mercaderías como siempre. Dijo la Señora Zabala Cifuentes, refiriéndose otra vez a la noche del veintiséis de febrero pasado, que ella finaliza con la primera parte de su labor en la cuadra entre las veintidós y las veintidós quince. En esa ocasión, es decir el día en que se produjo el enfrentamiento armado entre los dos hombres, se encontraba terminando dichas obligaciones. De modo que, indudablemente, calculó que ése era el horario aun sin haber mirado el reloj. A lo sumo y exagerando, veintidós veinte. La testigo dijo que unos minutos antes, pocos, había desviado su vista hacia la calle y allí divisó a las personas que ya ha reconocido, al policía y al trabajador de campo. Expresó que, dado el calor agobiante que se desprendía de los hornos, tenía las ventanas abiertas, aunque de mucho no servía, aclaró, porque afuera la temperatura estaba tan alta como adentro. Sin embargo, dijo, en virtud del clima sofocante y la pasmosa calma exterior, podía oír con precisión cada ruido que se producía en los alrededores, cada sonido por suave que fuera. En esas circunstancias pudo escuchar con marcada nitidez la discusión que mantuvieron los dos hombres. De consuno con la calma imperante, como expresó, daba la impresión de que la charla tenía lugar dentro del mismo negocio de panadería, a su lado, o entre las bolsas de harina. Y si bien al principio no prestó atención a lo que decían los sujetos porque le pareció una conversación trivial, después, poco a poco comenzó a preocuparse. Y lo hizo en virtud de que ambos individuos, a medida que se sucedían las recriminaciones, iban elevando el tono de voz. Declaró que no quiso volver a asomarse a la ventana para que no la vieran. Se le antojaba inoportuno interrumpir una polémica tan agria y vehemente como la que mantenían. Y estaba claro que su aparición, aunque no fuera brusca, provocaría con seguridad esa consecuencia. Tampoco consideraba apropiado truncar el encuentro de los dos individuos que se encontraban en medio de una disputa. Peor aún, precisamente cuando esa misma disputa giraba nada menos que en torno a bienes: sabida es la efusividad que pone la gente en peleas sobre dinero u otras materialidades. La testigo confirmó que, en la ocasión, el policía le pedía alhajas y distintas joyas que supuestamente el otro hombre había robado de algún domicilio particular. Si bien en una primera apreciación supuso que se trataba de un arresto con interrogatorio callejero, enseguida pudo comprobar que no era así, sino que el agente le estaba pidiendo una parte del botín, como si fuesen socios o cómplices en una actividad prohibida. Por otra parte, continuó diciendo la testigo Hermenegilda Zabala Cifuentes, allí la discusión se diluyó un poco. Y aun

60

cuando continuaron reprochándose conductas, lo cierto es que del negocio de zapatería de los Serenelli que se encuentra en la calle enfrentada, haciendo cruz, salieron varias mujeres que hablaban entre sí y que se interrumpían unas a otras para poder comentar cosas, sucesos y propuestas, tal como suele ocurrir en cada oportunidad en que se producen esta clase de reuniones. Citas a las que concurren solamente personas de un mismo sexo. A partir de ese instante comenzaron a mezclarse las conversaciones de los dos grupos. Si bien estarían a unos quince metros de distancia, se confundían las exclamaciones de unos con las voces de las otras. Los tonos con los modos. Resultaba imposible entender lo que decían a ambos lados de la calle. Indicó la testigo que en ningún momento se había preocupado específicamente por escuchar lo que decían fuera de su negocio, pero sólo lo hizo porque las circunstancias la pusieron en ese lugar. Ante la confusión de palabras, voces y expresiones que tornaban incomprensibles las frases, se olvidó del asunto y se puso a ordenar los útiles y enseres de labor. Tal vez habrían pasado uno o dos minutos, quizá tres, cuando se escucharon los estampidos de las armas de fuego. En esa situación la declarante dijo que a lo único que atinó fue a arrojarse al piso por miedo de que las balas ingresaran por la ventana y dieran en su cuerpo. Así permaneció durante un rato, de cara al suelo esperando que todo se calmara, tal como finalmente ocurrió. La Señora Zabala Cifuentes quiso dejar en claro que antes de los tiros escuchó el silbato policial con el que se solicita auxilio, algunos gritos y sólo después las detonaciones. A partir de ese momento oyó las comprensibles corridas y taconeos. Supuso que eran de las mujeres que se encontraban en la es-

quina opuesta. Luego de un silencio no demasiado extenso volvió a oír el sonido de unas botas golpeando contra la tierra apisonada de la calle, un ruido seco y cada vez más intenso que demostraba a las claras que una persona se acercaba a toda velocidad. Con posterioridad vería que se trataba de un policía, al que sí conoce bien, llamado Donato Malaspina. El agente llegó al lugar y con una linterna comenzó a examinar los cuerpos caídos y ensangrentados. En ese momento, dijo la declarante, se asomó por la ventana de la panadería y observó la escena. Además vio a Malaspina, y al reconocerlo, en forma inmediata le ofreció su ayuda. Se notaba que el oficial estaba muy afectado por la muerte de su compañero de tareas. A otras preguntas que se le formularon, la testigo indicó desconocer si entre los contendientes existía rencor o resentimientos anteriores al enfrentamiento, ratificando que apenas los conocía de vista sin saber siquiera sus nombres. Se le exhibieron en el acto de la declaración dos revólveres calibre treinta y ocho, ambos con cabos de pasta negra, uno Colt y el otro marca Goliat. Preguntada si los había visto con anterioridad o sabía a quiénes pertenecían, dijo que los vio en las manos de los hombres que se atacaron a balazos. Pero que ese hecho sucedió una vez que se dispuso a ayudar al Oficial Malaspina después de ocurrida la balacera. Indica que no sabe nada de armas, que nunca ha tenido una en sus manos, aunque presume que son las mismas que portaban los sujetos. Interrogada acerca de quiénes eran las mujeres que salieron del negocio de Serenelli, contestó que no miró por la ventana, pero tenía la presunción, por la vociglería, que eran seis o siete, tal vez ocho, aunque no pudo confirmarlo. Sólo reconoció la voz de la zapatera, del resto

no podría precisar datos. Agregó que minutos después llega-
ron los otros funcionarios policiales y el señor médico Sixto
Paglialunga, de todo lo cual quiso dar cuenta para demostrar
su voluntad de cooperar con la investigación que se está lle-
vando a cabo. Informó también que en determinado momen-
to, su vecina Dionisia Medina, que vive a unos treinta metros
del lugar, se acercó para brindar ayuda. Aclara que se trata
de una persona que la ha ayudado en las tareas de panade-
ría luego del fallecimiento de su madre. Con lo antedicho ter-
minó la declaración testimonial. Previa lectura que de la pre-
sente acta se le dio a la Señora Hermenegilda Zabala
Cifuentes, firmó la nombrada y después lo hicieron el Comi-
sario, el Subcomisario y el escribiente. Siguen las firmas.

Martiniano Pardo llega a su casa a las once de la mañana después de haber pasado la noche afuera.

Su esposa sabe que no ha estado de guardia en la comisaría ni ha tenido que salir de ronda por la zona como hace de costumbre, en prevención. Lo sabe simplemente porque no lleva el uniforme de policía tal como ordena el comisario. De modo que, más o menos, se imagina lo sucedido. Se imagina que ha sido engañada. Presume que otra mujer ha tomado su lugar sólo por una jornada.

Presiente con aproximación dónde ha ido o con quién ha pasado sus últimas horas. Y, algo que es más significativo, no le importa. Pero no le importa nada. Ni siquiera por el hecho de encontrarse desplazada por otra mujer. Después de todo, ¿qué podría esperarse de alguien a quien le arrancaron el amor propio a puñetazos?

El adulterio de su esposo le resulta indiferente. Como si no hubiese sucedido. O peor, como si habiendo sucedido fuese inocuo. Aunque si lo piensa con detenimiento debería comprender que sí le importa. Y mucho. Tal vez más de lo que supone. Por eso, lentamente se detiene en esa comprensión, en ese convencimiento íntimo. Entonces, poco a poco su indiferencia primaria se va convirtiendo en gratitud dócil, en mansedumbre que le trae cierto consuelo. Una limosna de viento fresco.

Agradece a la Virgen la posibilidad que le ha dado de liberarse por unas cuantas horas de los golpes alevosos, de las palizas y la tiranía doméstica que soporta día tras día con el mismo rigor, con igual resignación.

Agradece el bienestar que le produjo dormir sola y casi con tranquilidad en la cama desierta. Agradece el sentimiento de alivio que le provocó el alejamiento de Martiniano Pardo aunque fuera momentáneo, por una sola noche. Claro que lo agradece y mientras lo hace, besa con emoción una medallita de plata con la imagen de la Virgen que su mismo esposo le ha regalado tiempo atrás. Uno de los pocos regalos que le hizo durante el matrimonio. Ella cree que él la encontró o robó de algún sitio, porque difícilmente se tomaría el trabajo de comprarle un obsequio.

Martiniano Pardo entra en la vivienda y de inmediato se descubre el viaje en su presencia: tiene la ropa cubierta de polvo, el cabello despeinado por el viento y el rostro surcado por la tierra. No ha estado en Puán. No ha estado cerca. Debió salir a buscar una mujer en otros pagos, en lugares distantes, tanto como para no contradecir las órdenes de su superior.

El comisario local no le permite ciertas licencias. Piensa que le harían perder autoridad y seriedad, actitudes que le exigen las otras fuerzas vivas del pueblo.

Martiniano mira con desdén. No saluda, apenas escupe en el piso para que su esposa tenga algo que hacer, algo que limpiar. Se quita las prendas, las hace un bollo y las arroja a un costado.

"Lávemelas", exige. Después se acuesta sobre la cama y vuelve a abrir su boca: "Haga silencio y despiérteme a la una, con la comida."

Dicho esto gira el torso y queda ubicado de cara a la pared, dando la espalda a su esposa que permanece de pie, inmóvil, con la inhibición que le provoca la violencia urgente que se desprende del hombre temido.

Enseguida, en escasos segundos, comienzan a escucharse los ronquidos ruidosos que denuncian sin ninguna duda la entrega al sueño. Otra vez vuelve la calma precaria, exigua, pero calma al fin.

La mujer mira el revólver Colt treinta y ocho que descansa sobre la mesa y advierte de pronto lo fácil que sería terminar con el infierno. La sencillez con que se podría apartar para siempre de la condena irremediable que aguanta desde hace años. Piensa que de todas maneras, en ningún otro lugar se encontraría peor que en su casa. Ni siquiera en la cárcel. De cualquier forma ya está en un calabozo, privada de su libertad. Y permanece en él con una sanción adicional: la demoledora agresión que tolera con su cuerpo y con su mente malheridos. Sabe por fin que en la penitenciaría al menos eludiría una de las dos penas: se sacaría de encima el castigo inhumano diario.

Vanos han sido hasta ahora los intentos por evitar los trompazos. Está segura que nada de lo que haga podrá excusarla de recibir los ataques iracundos y el desprecio reiterado. Nada.

Entonces agarra el arma y toma la culata con ambas manos. Apoya el índice sobre el gatillo y el pulgar sobre el percutor. Ha visto cómo se hace. No se trata de una tarea complicada, por el contrario, es un movimiento de una simpleza casi infantil, una nadería. En pocos instantes, si quisiera, podría estar liberada del oprobio, del horror, del miedo constante a la agresión que no la deja vivir, del pánico que le provocan los ojos desorbitados de su esposo antes de darle una paliza.

Es cierto, no existe un ambiente ni un sitio peor que su casa. No puede imaginarlo. Y no puede porque no lo hay.

Apunta ahora a la cabeza de Martiniano Pardo. Se acerca un poco para no errar el disparo, para no caer en la desgracia de una equivocación. Y reza. Reza compungida a su Virgen. Le pide valor, la valentía necesaria para cometer un pecado mortal, un acto despiadado del que está segura saldrá perdonada.

Intuye que además de la Virgen, Dios también va a perdonarla, a comprenderla, va a justificar su necesidad de rehuir a esta desesperación, a este cerco que le está haciendo perder la cordura. Y si Dios y la Virgen no pueden eximirla del castigo divino será porque no merece el perdón. Eso es lo que piensa. Eso es lo que siente.

No sabe si lo que va a hacer es un acto de valentía o uno de cobardía. No lo sabe. Entonces espera la autorización superior. Cree que invariablemente la necesita. Le hace falta el levantamiento de la barrera que la paraliza. Y por esa razón vuelve a pedirle a la Virgen que le dé el coraje suficiente para disparar, el permiso para descerrajar el balazo.

Como suele suceder en estos casos, la Virgen en su infinita bondad no se lo concede. Más aún, le ordena dejar el arma. La obliga a comportarse como una verdadera cristiana.

Minutos después, más tranquila, otra vez se resigna a su destino.

Mientras levanta la ropa sucia de Martiniano Pardo tirada en el piso, sin intención, sin voluntad alguna de molestarlo, arrastra imprudentemente una silla con su pie izquierdo. "Imprudentemente" es la palabra exacta.

El sonido inevitable del mueble desplazándose encima del mosaico despierta al hombre que duerme. Ella lo ve primero levantarse lentamente y luego acercarse dominado por la ira, por la bronca que le ha provocado su descuido torpe. Descubre que la mandíbula de su esposo se ensancha, tal como le sucede cuando ella le hace perder los estribos. El mentón se aplana y los labios se le vuelven más delgados. Los pómulos enrojecen y tensan una cara que, fuera de toda connotación estética, es la que corresponde a una bestia.

Entonces, sabiendo lo que le espera, se cubre el rostro con ambas manos, desesperada. Nuevamente vuelve a rezar en silencio. Le pide a la Virgen que la ayude a soportar el calvario, a tolerar la fatalidad que cae sin piedad sobre ella.

El primer puntapié de su esposo le da pleno en el estómago.

Expediente judicial número diez mil treinta. Homicidio y Lesiones Gravísimas. Puán, a los ocho días del mes de marzo de mil novecientos dieciséis compareció ante la Instrucción conformada en estos momentos por el Comisario Rivarola, el Subcomisario Cortázar, el Oficial Instructor Rimoldi y el Oficial Escribiente López, una persona previamente citada en su domicilio que impuesta de las penas con que la ley castiga el falso testimonio, previo juramento de decir verdad, manifestó llamarse Angélica Vitángeli de Serenelli, ser italiana, de cuarenta y cuatro años de edad, casada, instruida, ocupada en la atención y venta al público de calzados en el negocio familiar de zapatería. Se domicilia en la esquina de las calles General Lavalle y Laprida de este pueblo de Puán. Preguntada si le comprendían las generales de la ley, respondió que no. Dijo que conoce al policía por haberlo cruzado reiteradamente en el poblado con motivo de las actividades habituales que ambos desarrollan. Tanto las de la zapatería para ella, como las de la fuerza pública para él. Recordó que el agente del orden, en varias ocasiones, compró botas en el local al que hace referencia. Se trata de calzado especial que había sido diseñado y confeccionado por su esposo Pietro Giovanni Serenelli, con el mejor cuero que existe en plaza, tal como había pedido el policía. Aclaró que las pagó en efectivo y que por lo tanto no existen deudas entre el fallecido y la declarante. Indicó también que conoce de vista al otro hombre. Sabía, por comentarios, que era un trabajador temporario que se desempeñaba en los campos de la zona. Y lo hacía en la época de las cosechas de alfalfa, trigo y maíz. Sabía también que realizaba actividades variadas en huertas de la región, en pequeñas plantaciones de ajo y cebolla. Como en el caso anterior, ha comprado calzado en su negocio. Pero sus adquisiciones se limitaron sólo a alpargatas. En ese estado de la audiencia y de la declaración de la Señora Vitángeli de Serenelli, en atención al avance de la hora, el Instructor la eximió de comentar los pormenores y circunstancias que motivaron la reunión que mantenía con varias mujeres en su domicilio particular. Se le informó a la testigo que las causas ya habían sido reiteradamente explicadas por las personas que depusieron con anterioridad. Se le preguntó el horario en que salieron a la vereda y contestó que fue a las veintidós quince. Al resto del interrogatorio expresó que hay muy poca luz en esa calle. Dijo que los dos hombres ya estaban en la esquina cuando ellas salieron. Confirmó que había movimiento y ruidos en la panadería de Hermenegilda Zabala Cifuentes que se encuentra en diagonal a su comercio. Coincidió con las declaraciones del resto de los testigos en cuanto a la presencia anterior de los individuos en la esquina. Dijo que ellas continuaron conversando de sus propios temas a pesar de que los sujetos, a pocos metros, discutían en voz alta. Recordó haber oído el silbato policial. Fue entonces cuando giró su cabeza para mirar hacia el lugar en donde permanecían ambos hombres. Observó que el policía le estaba apuntando con su arma y que el trabajador intentaba sacar algo de entre las ropas. Por lo visto después, se trataba de un revólver. Expresó la testigo que en ese momento se le escapó un grito de horror y que las demás mujeres comenzaron a correr, aunque duda si su grito fue antes o después de haber escuchado y observado el primer disparo. No estaba segura, no lo podía afirmar, dijo. Incluso, agregó, la Señora Pedraza y la Señorita Ceñudo, su criada, ya se habían retirado unos instantes antes y estarían a treinta metros de distancia cuando esto sucedió. A distintas preguntas que se le formularon respecto de sus dichos: "haber observado el primer disparo" tal como ha declarado, dijo la testigo que vio el fogonazo del arma en la oscuridad. Y puede aseverar que el primero partió del revólver del policía. Sin embargo, inmediatamente después observó un fogonazo igual pero en sentido contrario. De modo que estaba en condiciones de aseverar, como lo hizo, que se balearon casi al mismo tiempo. Dijo la deponente que al oír los disparos y los gritos las personas que conversaban con ella comenzaron a correr en dirección a la plaza que, como se sabe, es el sector más iluminado del pueblo. Se mostró sorprendida al desconocer el motivo por el cual corrieron hacia ese lugar pudiendo haber ingresado a su negocio, tal como hizo la declarante. Aunque supuso que el miedo y la sorpresa provocaron esa imprevista reacción o ese tipo de reacción finalmente en cadena. En su declaración dijo creer que los disparos fueron cinco. "Como cinco por lo menos", insistió. En cuanto a los hechos posteriores, refirió que estuvo en su vivienda expectante durante varios minutos. Luego, cuando se asomó, vio al oficial Donato Malaspina inspeccionando los dos cuerpos caídos. Se acercó y colaboró con él y con el médico Paglialunga que, como el anterior, acababa de arribar. Expresó que también estaban su vecina la Señora

Hermenegilda Zabala Cifuentes, la panadera y Dionisia Medina brindando auxilio ante la tragedia. Reconoció efectivamente que las armas que se le exhibieron eran las que portaban los hombres esa noche, la del hecho que se investiga en esta causa. Cuando se le preguntó a la testigo si conocía los motivos que originaron la discusión entre la víctima de homicidio y la víctima de lesiones gravísimas, contestó que no. Aunque de inmediato realizó una apreciación singular: sic "parecía una disputa entre amantes". Inquirida para que diera mayores precisiones respecto de su presunción, respondió que no podría darlas porque es sólo una intuición. Aclaró que le parecía, por lo que escuchó, que se trataba de un problema de celos entre ambos sumado a una discusión material, de reparto de objetos. Dijo haber oído que el policía le reclamaba a viva voz un collar y que el trabajador se lo negaba aduciendo finalmente que ya se lo había regalado a una mujer. Dijo creer que la respuesta fue la que desencadenó el enfrentamiento ya que ésas resultaron las últimas palabras que alcanzó a escuchar. Sin embargo insistió en que se trataba sólo de una suposición que no podía corroborar. No teniendo más que agregar, quitar ni enmendar, se dio por finalizado el acto. Previa lectura del acta, firmó la compareciente por ante la Instrucción de lo cual se da fe. Siguen las firmas.

En la oscuridad cerrada y protectora, con su olor a cuestas, Belisario Roque Peredo se desliza entre las medianeras y los terrenos baldíos con el sigilo de siempre, con el andar felino y la ausencia de imprevisión.

Sabe que todo aquello que no se prevé queda librado al azar. Y él, por supuesto, nunca deja nada librado al azar, no se lleva bien con la suerte. Prefiere la planificación y el cumplimiento riguroso de los pasos programados. A pesar de su ignorancia académica, en materias ilícitas suele razonar con sagacidad, se maneja con la paciencia de un veterano.

Huele a ajo, a cebolla, a tierra húmeda, a transpiración añeja y su aliento es pesado. Eso no le preocupa, o en todo caso es lo de menos. Supone que no molesta porque nadie se ha tomado el trabajo de explicarle las consecuencias incómodas que provoca su hedor.

Se mueve en un patio amplio cubierto en casi toda su extensión por leña cortada y lista para usar. Es el patio elegido con mucha anticipación.

Baja suavemente por los troncos apilados apoyando sus alpargatas con marcada precaución, para no cometer errores, tal como se lo ha propuesto. Pisa luego terreno firme y lentamente se acerca a la construcción. Con su mano envuelta en un trapo mugriento rompe un vidrio angosto cuyos trozos de cristal caen encima de varios paquetes de levadura. Pasa el brazo por entre las puntas filosas con cuidado para no cortarse; con serena seguridad. Y abre la ventana desde adentro.

Traspone el cuerpo ágil hacia el interior de la edificación y camina sin hacer ruido entre los muebles y enseres ubicados en medio de la negrura. Intuye las máquinas, el horno, las bolsas de harina, las tablas y finalmente los tornos alargados. Los palpa y camina bordeándolos con la mano sobre la madera ajada para no alejarse del recorrido planificado. Llega a la puerta que separa la cuadra del negocio y la cruza en busca de la caja donde la dueña guarda el dinero de las ventas de pan.

Belisario se convence cada vez más, día a día, de que los míseros pesos que recibe en pago de su salario por el trabajo esforzado en las cosechas son apenas migajas que los propietarios de campo reparten entre los peones. Dádivas avaras que no equilibran las prestaciones. No hay justicia entre lo que unos dan y lo que reciben a cambio. Por la estafa que constituye el empleo, está seguro que no volverá a trabajar en tareas agrícolas: la delincuencia es, sin dudas, un negocio de escasa carga horaria y exorbitante remuneración.

No va a dejarse robar por un patrón ni por nadie. No va a dejarse llevar por delante, él es un hombre, más bien un macho, y los machos no sólo saben lo que tienen que hacer sino que, además, lo hacen. Simplemente lo hacen. No quiere parecerse a Pardo, ese milico arrastrado que tiembla cuando el comisario lo reprende, que tirita ante la mirada seria del superior. Esas cosas a él no le suceden. No tiene que responder ni obedecer a nadie, no es un mandadero. Se debe exclusivamente a sí mismo, a su individualidad. Ni siquiera tiene mujer a quien mantener, ¿para qué?, ¿para qué querría comprarse un problema?

En todo caso, si lo asalta el deseo, no tiene más que ir a la zona de chacras y agarrar alguna chinita, por las buenas o por la fuerza, como cuadre. También puede usar el prostíbulo, ahora cuenta con dinero de sobra para gastar. No se ve obligado a andar juntando las monedas y pidiendo rebajas como un mendigo, o peor, como un peón rural. Ya no. Ese Belisario se acabó, no existe, ha quedado en el olvido.

Está bien que Martiniano Pardo sea su socio. Eso le conviene. Es el complemento necesario para consumar sus delitos disminuyendo riesgos. Lo cubre, le pasa los datos exactos, le anuncia los momentos adecuados para realizar los golpes y borra sus huellas en caso de que las deje en el lugar de los hechos.

Sabe que sin su ayuda todo sería mucho más difícil, aunque no precisamente imposible. Por esa razón ya va siendo hora de dejar de entregarle la mitad de los botines. Después de todo, el mayor peligro lo soporta él. Su compañero se encarga de la parte más sencilla del proceso. ¿Por qué tendría que dividir los beneficios en partes iguales? ¿Por qué compartir algo que considera, casi con exclusividad, propio? No es justo. No lo es, sin ninguna duda.

El pensamiento disperso, excepcional en él, lo desconcentra. Y la desconcentración no es buena compañera de la eficacia. A tal punto que empuja involuntariamente con su codo y hace caer un frasco repleto de caramelos.

En medio del silencio los ruidos suelen ser más estrepitosos que mezclados con el bullicio. El estallido del recipiente que se hace añicos no pasa desapercibido en la envolvente quietud nocturna.

Belisario Roque Peredo ha cometido una equivocación, un paso en falso por el que seguramente deberá responder.

Debido a la sorpresa, permanece unos segundos petrificado. Duda entre escapar de inmediato por el mismo sitio por donde ha entrado o esperar el milagro de la inadvertencia ajena. Ya debería saber que en ocasiones no es posible darse ciertos lujos. Y la duda es, indefectiblemente, uno de ellos.

No tarda mucho en conocer la respuesta a su interrogante. Con una vela en sus manos, por una puerta lateral asoma la humanidad cansina y avejentada de Hermenegilda Cifuentes Retamal, viuda de Zabala Segovia, la madre de la panadera. Ambos se encuentran cara a cara en la semipenumbra de la habitación, a la luz apenas delgada de la vela. Ambos abren los ojos en forma desmesurada al comprobar la presencia amenazante. La amenaza del daño por una parte y la amenaza de la denuncia y el reconocimiento, por la otra. Ambos conocen el final antes de que suceda.

Belisario Roque Peredo sabe que tiene que matarla. Entonces, sin otro remedio, saca su cuchillo...

Expediente judicial número diez mil treinta. Homicidio y Le-
siones Gravísimas. Puán, a los ocho días del mes de marzo
de mil novecientos dieciséis comparece ante la Instrucción
una persona que ya ha sido citada. Se encuentra también pre-
sente el vecino Otto Fischer, domiciliado en la sección cha-
cras, quien, ad hoc, actuará como traductor en virtud de no
haber uno oficial en el partido ni en la zona. Jura desempe-
ñar a tal efecto su cometido con veracidad y responsabilidad.
Asimismo garantiza su actuación asegurando que la traduc-
ción se hará con la mayor exactitud posible de modo que lo
que declare la testigo pueda gozar de la fidelidad y confiabi-
lidad que el acto solemne exige. La Instrucción le aclara que
su labor consistirá en traducir tanto las preguntas que los ins-
tructores formulen como las respuestas que en contrapartida
brinde la deponente. En este estado comienza el interrogato-
rio. Se le pregunta a la testigo acerca de sus datos persona-
les. Y ella, por intermedio del Señor Fischer, responde que su
nombre completo es Margarita Weissmüller, con doble ve, do-
ble ese y diéresis sobre la u. Dice ser de nacionalidad alema-
na, de estado civil soltera, de veinticuatro años de edad. Se
domicilia en la vecina localidad de Bordenave, en el partido
de Puán. Ratifica no conocer el idioma castellano y no saber
darse a entender por escrito en dicha lengua. A otros interro-
gantes que se le formulan, contesta que no le comprenden las
generales de la ley que le fueron debidamente explicadas. In-

ducida a narrar lo que sepa del hecho que se investiga en esta causa, circunstancia que se le hace conocer nuevamente por intermedio del Señor Fischer, la testigo declara que si bien hasta hace muy poco tiempo tenía una actividad diferente, una ocupación enteramente distinta a la que ahora desarrolla, en la actualidad se dedica a la preparación y venta al por mayor y menor de tartas, tortas y confituras propias de la región de donde es oriunda. En ese sentido afirma que vende productos que han sido muy bien recibidos en su lugar de residencia y en los pueblos vecinos de Azopardo, 17 de Agosto, Felipe Solá, Villa Iris y otras localidades cercanas. Su especialidad son las tartas de manzana y el strudel. Por dicho motivo, fue invitada a participar de una reunión que tuvo lugar en la zapatería de la Señora Angélica Vitángeli de Serenelli. Allí debía pasar los presupuestos de una variedad de pasteles y confituras que iban a ser vendidos en una feria que se desarrollaría en el pueblo. El dinero obtenido por las ventas iba a ser destinado a la compra de útiles escolares. Expone que una vez terminada la reunión salieron a la calle y se detuvieron en la puerta del citado comercio. Cuando la testigo se encontraba a punto de comenzar a recorrer las calles que la separaban del Hotel Eslava –aclara que se trata del lugar donde pernoctaría para salir a la mañana siguiente hacia Bordenave– se produjo el hecho sobre el que declara. Relata no haber notado la presencia de los dos hombres que se encontraban en la esquina de enfrente ni las presuntas discusiones que entre ellos mantenían. Como no conoce el idioma estaba abocada íntegramente a la comprensión de lo que decían las personas que conversaban con ella. Y así como le costaba en exceso alcanzar a comprender las señas que hacían y las frases que referían dado el escaso léxico que maneja en español, reitera que no tuvo tiempo de detenerse a mirar a los individuos o a escuchar lo que ellos hablaban. Sin embargo, indica que se sobresaltó primero con el silbato policial y luego con la primera detonación del arma de fuego. Por eso comenzó a correr en dirección hacia donde veía luz, hacia el lugar del pueblo que se encuentra mejor iluminado. Recuerda que en medio de su carrera y a su espalda, es decir, desde el mismo sitio de donde provino el anterior, escuchó varios disparos más, sin poder precisar la cantidad exacta dado el pánico que la embargaba. Exhibidas las armas que fueron halladas en poder de los sujetos y en el lugar en donde se produjo el episodio delictivo y preguntada si las reconoce, la testigo responde que no. Repite que no vio a los hombres y, por lo tanto, mucho menos si portaban o no armas. Preguntada si conocía a alguno de los partícipes del enfrentamiento, la testigo vuelve a insistir en su respuesta anterior. No los vio. En este momento la deponente, por intermedio del traductor, pide la palabra para aclarar que antes de que esto sucediera, dos mujeres españolas que se encontraban primero en la reunión y luego conversando con ellas en la puerta de la zapatería, se habían despedido comenzando a caminar, presume, hacia sus domicilios. A otras preguntas que se le formulan contesta que no conocía el pueblo de Puán como tampoco a ninguno de sus habitantes. Agrega que en el futuro pretende abrir un negocio de su especialidad estableciéndose en el vecindario. Dice también que va a donar la mitad del precio que reciba por las tortas que le han encargado para la compra de los referidos útiles escolares dada la imperiosa necesidad que tienen los niños del pueblo. Esta última afirmación, que no debería constar en el expediente ya que no tiene nada que ver con el caso que se investiga ni con la instrucción de la causa en trámite, sólo se transcribe en atención al empecinamiento de la testigo, que declara que no firmará el acta si no figura en ella su compromiso con los niños indigentes de la localidad. Sepa Vuestra Señoría disculpar la digresión pero se realiza a efectos de no entorpecer la agilidad de la investigación. No siendo para más, firman los comparecientes por ante mí de lo que doy fe, incluido el Señor Otto Fischer, traductor en la ocasión, quien además le solicita a la testigo la rúbrica del acta garantizándole que lo que ha sido escrito es la fiel traducción de lo que ella ha declarado. Siguen las firmas.

"Cébeme unos mates."

Escucha la orden imperativa que resuena nítida en la sala. Se desprende de una voz firme y grave, potente. Es la voz de un hombre con el ánimo seguro, con la autoridad del que sabe que será obedecido sin excusas, que conoce la convicción que emana de su mandato certero.

Entonces, por miedo y para evitar represalias, siente el aguijón de la premura, el temor reverencial instalándose en el ambiente como un manto espeso que lo invade. Se apura a llenar la pava con agua, a ponerla sobre la hornalla de la cocina, a limpiar el mate junto con la bombilla y a colocar la yerba que extrae de un paquete envuelto en un papel arrugado. Se impacienta por la tardanza porque teme recibir otra reprimenda.

Espera el chirrido que provoca el vapor saliendo por el pico y el fuego calentando el metal. Luego se dirige de inmediato a cumplir con la indelegable misión encomendada. Se coloca de pie detrás del hombre autoritario y ceba en silencio y con sumisión uno tras otro los mates que le ha exigido.

Mientras tanto, su mandante, sin prestarle mucha atención, chupa de la bombilla y toma ese líquido verde y caliente que aligera las tripas. Indiferente, revisa ciertos papeles que se hallan sobre la mesa hasta que de pronto, como si algo lo hubiese alertado, quita la vista de la documentación que tiene entre las manos y gira la cabeza buscando su mirada sometida.

Nuevamente se oye la voz cortante a la que ahora le suma una mueca plena de desprecio: "Pardo, usted es un inútil", dice el comisario Rivarola. "Usted es un verdadero inútil", repite con el desdén necesario como para remarcar la frase.

El agente nota que comienzan a temblarle las piernas. Se le humedecen las manos y un sudor frío le corre por la espalda. Involuntariamente se mueve nervioso en la baldosa en la que está parado. Agacha la cabeza como un alumno que ha sido pescado cuando cometía una travesura y alcanza a tartamudear: "¿Por qué, señor?", y agrega enseguida: "¿Por qué lo dice señor?"

Procura desentrañar el motivo del enojo de Rivarola. No sabe qué hacer. En realidad, nunca está seguro de cómo debe comportarse frente al comisario. Lo invade la incertidumbre, la desconfianza y el pánico, teme ser descubierto en sus desvíos. Por eso ahora sigue mirando al piso. No quiere levantar su vista. Supone que ha sucedido algo grave, algo que lo involucra. Es posible que haya aparecido alguna prueba que demuestre su sociedad delictiva.

Se promete que si ésta es una falsa alarma lo primero que hará igualmente será desvincularse de Belisario. No puede confiar en él. Y no porque le preocupen las consecuencias brutales de los crímenes que lleva a cabo, sino porque está cebado y eso lo convierte en una fiera fácil de atrapar. Si cae Belisario Roque Peredo, sin duda, él también caerá.

El comisario lanza al aire un expediente que se desploma sobre el escritorio provocando el típico sonido del papel golpeando contra la madera.

"Lea", grita. "Otra denuncia de violación en la zona", vuelve a vociferar.

Sus palabras resuenan entre las paredes de la comisaría y rebotan en los oídos de Pardo. "¿Cómo es posible que usted no haya podido detener a nadie?" Rivarola está encolerizado y lo demuestra. Hasta pareciera que si continúa enojándose sería capaz de pegarle un golpe en la cara a su subordinado. Respira con profusión y se agita. No cesa con sus recriminaciones porque ha tenido, a su vez, que escuchar las recriminaciones de la fiscalía de Bahía Blanca de la cual depende.

"Un inútil", reitera en voz alta. "Eso es lo que es."

Da un puñetazo violento sobre un Código de Procedimiento Penal que tiene a su derecha y el libro se desbarranca hacia el suelo.

"Levántelo", grita desorbitado.

Y Pardo se apresura, corre hacia el sitio indicado y cumple la orden recibida.

"Averigüe, investigue, encuentre al responsable y hágalo rápido, carajo", escucha de boca de su superior jerárquico.

El agente finalmente se convence: ha llegado el momento. Debe cortar de inmediato su relación con Belisario para que no lo arrastre en su caída. Además, sabe bien que las violaciones las ha cometido su cómplice. Y aunque no le preocupa en lo más mínimo la suerte de las mujeres vejadas no quiere verse inmiscuido en asuntos que podrían perjudicarlo o que podrían delatar sus conductas furtivas.

"Sí señor", dice. Hace la venia, taconea y se retira del despacho de su jefe.

Cuando llega a la calle sus pensamientos comienzan a mezclarse debajo de la gorra policial.

Debería pedirle a Belisario que se vaya del poblado por unos cuantos meses, quizás un año, de modo que varias de sus cuentas quedaran en el olvido. Piensa que ambos han ganado lo suficiente como para poder mantenerse bastante tiempo alejados del crimen. Tal vez eso sea lo más aconsejable. Sí, eso es lo que hará. No puede perder un minuto. Tiene que encontrarse con su secuaz y sugerirle que tome otros rumbos. Al menos hasta que la situación se tranquilice, hasta que la tormenta amaine.

¿Y si no acepta?, se pregunta un poco atemorizado. ¿Y si Belisario decidiera no hacerle caso y quedarse?

Ya verá cómo lo resuelve. De todas maneras primero debe reunirse con él y decirle lo que piensa. Es un tema que ineludiblemente debe solucionar.

Por el momento tiene que esperar para enterarse qué es lo que quiere hacer Belisario, su amante de a ratos, su cómplice. Pero lo que sí sabe, aquello que tiene decidido en forma definitiva, es la paliza que se va a ligar su esposa. No es posible que ella esté tan tranquila mientras él sufre toda esta clase de presiones.

Expediente Judicial número diez mil treinta. Homicidio y Lesiones Gravísimas. Puán, a los diez días del mes de febrero de mil novecientos dieciséis comparece ante los instructores sumariales una persona a la que se le instruye de las penas con que la ley castiga a los que falsean la verdad. En este acto presta juramento en forma legal y manifiesta llamarse Dionisia Medina, ser de nacionalidad uruguaya, de treinta y cuatro años de edad, soltera y empleada en tareas domésticas. No lee ni escribe y se domicilia en esta localidad desde hace más de quince años. Trabaja en quehaceres del hogar y cobra por hora en las distintas viviendas en las cuales presta sus servicios. Resume dichas labores: lavado y planchado de ropa, limpieza de pisos, de muebles, cuidado de niños y ancianos, ejecución de mandados, aseo de habitaciones y demás actividades similares. Impuesta de quiénes eran las partes y preguntada si las conoce y si para con alguna de las mismas le comprenden las generales de la ley que le fueron explicadas, dijo que: al agente policial lo conocía de vista por haberlo observado en muchas ocasiones con el uniforme de la fuerza pública. Y lo hizo en diferentes lugares dentro del pueblo; en la plaza, en la comuna, en algunos comercios haciendo compras, caminando por las calles o cuando realizaba las rondas nocturnas. Si bien nunca habló con él ni tuvo trato alguno quiere aclarar que sabe quién es y que, reitera, lo ha visto en repetidas oportunidades. Por tal motivo, está claro que no le comprenden las generales de la ley. En cuanto al otro sujeto, que finalmente resultó malherido y se encuentra internado en el Hospital Municipal local, dice que, según pudo reconocerlo cuando llegó al lugar del hecho –estaba caído, sangrando e inconsciente– es el mismo que la atacó y violó hace unos dos meses cuando se dirigía por un camino vecinal hacia la estancia "Los Aromos" de la familia Etchegoyen, donde habitualmente realiza las labores que ha indicado al comienzo de su declaración. No sabe su nombre ni tiene otros datos acerca de su persona, pero lo reconoce como su agresor. Aclara que cuando fue violada hizo la denuncia en esta misma comisaría. Fue revisada por el médico oficial, el Doctor Paglialunga, quien constató sus heridas y la violación que ha indicado. La policía inició un expediente por ese delito. Antes de relatar lo que ha visto quiere destacar la labor del agente fallecido y agradecer a la institución la defensa de las víctimas de crímenes. Dice que, probablemente, el enfrentamiento ha ocurrido en momentos en que el oficial capturaba al delincuente. Y aunque no lo sabe con certeza presume que ése ha sido el motivo. Por tal razón, expresa, no tiene más que agradecimiento hacia la fuerza policial y, en particular, hacia sus integrantes. Lamenta profundamente el dolor de los familiares del agente que ha muerto en cumplimiento de su deber. De acuerdo a lo que ha contestado entiende que le comprenden las generales de la ley respecto del sobreviviente del tiroteo por ser su violador. Aun así, jura que va a decir toda la verdad de cuanto sepa y se le pregunte. Y lo jura por Dios, por la Virgen y por los Santos Evangelios. Respondiendo a otras preguntas que se le formulan relacionadas exclusivamente al hecho que se investi-

ga en esta causa y no al delito o a la causa en la que la deponente se encuentra como víctima de violación, responde que el día veintiséis de febrero del corriente año, aproximadamente a las veintidós y diez, se encontraba en su domicilio de calle Laprida sin número de este pueblo de Puán. Quiere aclarar que se trata de una pieza hecha de bloque con techo de chapas usadas que ha ido recolectando en distintos sitios; aún no pudieron ser clavadas y por eso las sostiene con ladrillos en las esquinas hasta que consiga hacerlo como corresponde. Asimismo, su casa se completa con un retrete que se halla fuera de la vivienda. Está ubicada a unos veinte o veinticinco metros de donde cayeron los cuerpos heridos. Desde la única ventana se puede ver con facilidad el lugar en el cual se produjo la balacera. La noche que acaba de señalar estaba jugando a los naipes con dos amigas. Ellas también trabajan en el servicio doméstico y se mantienen con lo que ganan por la realización de esos trabajos. Dice que si bien las tres tomaban un poco de vino de ninguna manera se encontraban borrachas y por eso puede dar testimonio sincero de todo lo que oyó y vio. Insiste en que lo que va a contar es la pura verdad, porque aun cuando le comprenden las generales de la ley –según le han dicho– respecto del hombre que está herido e internado, no pasa lo mismo con relación al otro. Como dijo, se encontraban jugando a las barajas, tomando vino y conversando. En ese momento oyeron primero el silbato policial y luego un disparo de revólver. Si bien sus compañeras se arrojaron al piso para cubrir sus cuerpos, la declarante no sabe por qué motivo decidió asomarse a la ventana para ver lo que sucedía. Lo hizo desde un ángulo muy cerrado, pegada a la pared, de manera que su cuerpo quedaba casi enteramente cubierto. A salvo de posibles accidentes. Desde allí vio el instante exacto en que los cuerpos caían a tierra luego de ser alcanzados, supone, por las balas. Observó a las mujeres que corrían en dirección a la plaza y se mantuvo quieta durante unos minutos hasta asegurarse que ninguno de los dos hombres se movía. Dice que luego llegó el Oficial Donato Malaspina. Recuerda que iba narrando paso a paso lo que sucedía a sus amigas que seguían en el piso de la vivienda. Después apareció la panadera Hermenegilda Zabala Cifuentes, a quien conoce no sólo por ser su vecina y la dueña del comercio que ha indicado, del cual la declarante resulta cliente, sino por haber trabajado para ella en tareas domésticas y en su panadería, haciendo changas, sobre todo después del homicidio de su madre. También comprobó la llegada al lugar de la zapatera Angélica Vitángeli de Serenelli que tiene su domicilio a escasos metros de donde se produjo el delito, circunstancia que finalmente la motivó a dejar su casa y acercarse al sitio donde estaban los hombres heridos. Agrega que, posteriormente, concurrieron los policías y el médico de la institución. Reconoce las armas que se le exhiben y afirma que son las que tenían los sujetos. Sólo en ese momento, sigue narrando la declarante, luego de ver a los dos hombres tendidos en la tierra, merced a una linterna que portaba el Oficial Malaspina, pudo comprobar que el sujeto que se había enfrentado a tiros con el policía era el mismo que la había atacado y violado dos meses atrás. Reitera que fue en ese instante en que lo reconoció, porque desde la ventana de su vivienda y por la poca iluminación del lugar no había logrado distinguir a los hombres que se tiroteaban. Explica que le *pidió al oficial que enfocara con la linterna la cara de la persona que estaba tirada en la calle y, después de un instante de observación, ya no le quedaron dudas. Era el hombre que la había violado. A otras preguntas reitera que no se encontraba borracha y que nunca toma más de lo "normal". La Instrucción, en este acto, decide abstenerse de preguntarle qué entiende por "normal" para evitar puntos de vista que no hacen a la cuestión de fondo que se investiga en las actuaciones. Interrogada la testigo acerca de otras circunstancias que considere necesario destacar, declara que el sujeto herido llevaba puesta la misma ropa que vestía en la ocasión en que ella fue atacada: las alpargatas, la ropa sucia, la gorra, el pañuelo en el cuello, el pantalón marrón manchado y una camisa de trabajo. Por otra parte la testigo dice no recordar la cantidad de detonaciones escuchadas. Cree que la sorpresa de la situación hizo que no reparara en ese detalle. Aunque supone que fueron cuatro o cinco disparos. Afirma nuevamente que el vino que había tomado esa noche no tiene ninguna relación con su ignorancia del número de tiros. Dice haber observado, incluso, algunos fogonazos que salieron de los caños de las armas y que precisamente se pudieron apreciar por la oscuridad de la esquina en donde se produjo el tiroteo. Pero insiste en que no sabe cuántos disparos oyó. Sin embargo, reitera que no fueron muchos, cuatro o cinco, como ya dijo. Preguntada si sabe o le consta que entre víctima y victimario existiere un conflicto o un conocimiento anterior, se remite a lo ya expresado en los primeros párrafos de su declaración puesto que, si ni siquiera conoce los nombres, tampoco puede saber si existía alguna relación entre ellos. A otras preguntas responde que no puede indicar de* qué arma partió el primer disparo ya que en ese momento ella se encontraba jugando a las cartas. Sólo se asomó a la ventana con posterioridad al sonido de la primera detonación. Indica que los dos hombres poseían armas en sus manos y que ambos cayeron al ser alcanzados por las balas que ellos mismos dispararon. Agrega que, en la caída, conservaron las empuñaduras de los revólveres, tal como estaban cuando llegó el Oficial Malaspina. Todo lo que cuenta fue observado por la testigo desde la ventana de su vivienda. Preguntada si tiene algo más para aclarar, quitar o enmendar, contesta que no. En consecuencia, no siendo para más, finaliza el acto. La declarante, como no sabe firmar, estampa su impresión digital ratificando la deposición que antecede, de lo cual se da fe. Siguen las restantes firmas de los presentes.

No se veía nada. No había ningún tipo de iluminación. La esquina de General Lavalle y Laprida de Puán se encontraba en sombras. Apenas un hilo de luz se escapaba por las ventanas entornadas de la panadería de Hermenegilda Zabala Cifuentes. La dueña trabajaba a esa hora y el ruido de las máquinas no pasaba desapercibido en el sosiego de la noche. El resto de la vecindad naufragaba entre el silencio y la penumbra.

Belisario Roque Peredo y Martiniano Pardo, tal como habían acordado, se reunieron a escasos metros de un farol que no funcionaba desde hacía varias semanas. A pesar de los distintos reclamos que los vecinos efectuaron aún no había sido reparado. Estaba visto que los empleados de la comuna no tenían apuro en cumplir con sus obligaciones laborales.

Ambos esperaban la ocasión con ansiedad. Siempre es bueno hacer las cuentas y poner las cosas en claro. Y esas conductas, incluso, resultan necesarias cuando el tema en cuestión es nada menos que el reparto de bienes. "La repartija", según la jerga de los delincuentes.

Los dos últimos atracos exigían ser divididos cuanto antes. De manera que la reunión se imponía como un menester obligatorio para equilibrar el debe y el haber.

Martiniano Pardo sabía exactamente cuál era el producto de cada uno de esos robos. Su conocimiento se construía con el acceso a las denuncias, a la toma de declaraciones, a las conversaciones con las víctimas y los eventuales testigos. Por esas circunstancias Belisario no podía mentir. Hubiera quedado al descubierto en el acto.

Pardo, en su carácter de policía, revisaba los lugares en donde se producían los ilícitos, veía los destrozos y tomaba nota de los faltantes según le informaban los damnificados. Su tarea como agente consistía en encontrar las pruebas que pudieran conducir hasta el autor. Aunque, en los hechos, hacía exactamente lo contrario de lo que se esperaba de él. En los casos en que las hallaba, inmediatamente las destruía o las ocultaba. Limpiaba el escenario para que Peredo no alcanzara a ser individualizado ni sospechado. Nada debía apuntar hacia el trabajador rural. Ni una huella ni una prenda. Nada. El arreglo entre los hombres producía una combinación perfecta, una sociedad que no conocía de imponderables.

El lugar de encuentro elegido en esta ocasión tampoco era casual. A la oscuridad que se cernía alrededor por la farola quemada se sumaban, entre las construcciones, algunos baldíos y terrenos sin alambrar, excelentes vías de escape que la coincidencia ponía a su disposición. De modo que, ante cualquier imprevisto, Belisario podía elegir entre un variado número de caminos para salir corriendo y ocultarse en las inmediaciones antes de volver a su rancho.

Setenta y tres pesos le correspondían a Martiniano Pardo. Y setenta y tres pesos fueron los que su socio le entregó. La cantidad exacta. Collares y anillos fueron repartidos estimando un costo promedio, una aproximación sin parámetros. Era claro que ninguno de los dos estaba en condiciones de valuar con precisión las alhajas robadas. Cada uno de ellos contaba con un desconocimiento extremo sobre el asunto. Separaban los objetos teniendo en cuenta el peso antes que otras características, el brillo más que la excelencia de los materiales con que habían sido elaborados. En pocos minutos comprendieron que todo estaba como debía estar. Cada botín era guardado en el bolsillo que correspondía. Y eso, es sabido, suele actuar como sedante, tranquiliza y acomoda los pensamientos desconfiados.

Algo los sobresaltó. Y ambos miraron al mismo tiempo en derredor tratando de hallar el motivo de la zozobra. Pero no vieron a nadie. Por suerte, no los habían visto ni escuchado. Aunque tal vez... En los pueblos nunca se sabe...

A partir de ese momento, para Martiniano, los besos no podían ser más apasionados ni el contacto de los cuerpos más oportuno. El encuentro lo llenaba de emoción y excitación. De inmediato buscó desesperado con sus manos el miembro de Belisario, como si una necesidad desbocada que no le era posible reprimir lo impulsara en sus movimientos. Se abalanzó sobre el pecho ajeno de modo de abarcarlo, de acariciarlo, tratando de disfrutar de ese cuerpo mugriento, de esa humanidad hedionda e indómita. Le resultaba imperiosa la cercanía de su amante, la unión con el hombre que lo atraía hasta la enfermedad. Por otra parte sabía, ya que alguien le había enseñado, que es necesario ser amable en el momento de realizar negocios.

Cuando estaban juntos siempre le sucedía lo mismo, se sentía preso de un estado que lo desequilibraba. Pero que, sin embargo, disminuía en los tiempos de separación prolongada.

Había llegado al extremo de concurrir junto a Belisario Peredo al prostíbulo de Bordenave en busca de la alemana. Y lo había hecho aun sabiendo a qué peligros se exponía si demostraba su desviación ante una desconocida. Peor, con el temor de que su amante se excediera con los abusos.

Y Belisario se dejaba tocar. Se dejaba besar y permitía que Martiniano se la chupara. Y permitía que lo hiciera en medio de la vereda, en la esquina. Le gustaba verlo arrodillado, casi en una postura suplicante, demostrando que estaba dispuesto a hacer cualquier cosa que él le pidiera. Así se sentía poderoso, invencible, viendo al policía en cuclillas mientras le lamía la erección. Jefe y subordinado. Capitán y soldado.

Los dos necesitaban hablar de temas importantes, urgentes, que les concernían. Martiniano debía pedirle que se fuera del pueblo por un tiempo, por lo menos hasta que las presiones sobre los policías se aplacaran. Y Belisario intentaba discutir el cambio en los porcentajes sobre los bienes y el dinero de los despojos. Pero ninguno dijo nada. No incluyeron en la última parte del encuentro la relación material. Tal vez la codicia los inhibió. El riesgo de perder el cincuenta por ciento seguro fue lo que los mantuvo en silencio.

Se despidieron sin solemnidad, como lo harían dos socios en vez de dos amantes, como lo harían después de una reunión comercial y no de una amorosa.

Belisario debía mantenerse a la espera de los próximos datos que le iba a entregar el agente, los que resultaban necesarios para la comisión de un nuevo delito. No obstante, cuando Martiniano Pardo caminaba en dirección a su domicilio, Belisario Roque Peredo lo miró desde el lugar en el cual permanecía de pie, erguido. Una ráfaga de sensaciones parecidas al asco lo inundó por completo. Un pensamiento agresivo y desdeñoso fue el primero que se le ocurrió de una larga lista de descalificaciones: "Milico puto."

Expediente Judicial número diez mil treinta. Homicidio y Le-
siones Gravísimas. Juan Bautista Vecchi, jefe de la primera
sección del Registro Civil de Puán certifica que al folio once
vuelta del libro de defunciones de la oficina a su cargo se ha-
lla labrada la siguiente partida: "Número veintiuno. En Puán,
de la provincia de Buenos Aires, a veintisiete días de febrero
de mil novecientos dieciséis, ante mí, Juan Bautista Vecchi,
jefe de la primera sección del Registro Civil, se presenta Do-
nato Malaspina, de treinta y cuatro años, argentino, soltero,
empleado de policía de este vecindario. Y declara: Que ayer
a las veintidós quince, en este pueblo, falleció Martiniano
Pardo por herida de bala, según certificado médico extendi-
do por el Doctor Sixto Paglialunga, archivado bajo el número
de esta acta. Que era del sexo masculino, de treinta y cinco
años de edad, argentino, casado con Rosaura Collazo Uribe,
empleado de policía, domiciliado en Puán e hijo de padres
desconocidos. No ha testado. No tiene hijos. Leída el acta, la
firman conmigo los testigos, que lo son, el declarante y Justo
Ambrosio Torraca, de cincuenta y cinco años, casado, argen-
tino, peluquero, de este vecindario, quienes manifiestan ha-
ber conocido en vida al extinto y visto su cadáver. La Policía
ha tomado intervención. Donato Malaspina. Justo Ambrosio
Torraca. Hay un sello. Juan Bautista Vecchi." Puán, ocho de
marzo de mil novecientos dieciséis. Firma del Jefe del Regis-
tro Civil.

Expediente Judicial número diez mil treinta. Homicidio y Lesiones Gravísimas. En Puán, a nueve días del mes de marzo de mil novecientos dieciséis comparece ante la Instrucción una persona de sexo masculino la que fue enterada de las penas con que la ley castiga el falso testimonio. En este acto jura decir la verdad de todo lo que sepa y se le pregunte. Manifiesta llamarse Indalecio Luis Zaldívar, ser argentino, de cuarenta y nueve años de edad, soltero. No sabe leer ni escribir. Se desempeña como peón rural y tiene domicilio en la sección chacras de esta localidad. Preguntado si conocía a Martiniano Pardo, el policía fallecido por el cual se instruye este proceso y cuyas causas se investigan, contesta que sí. Dice que lo vio varias veces en el pueblo y que tuvo oportunidad de hablar con él en la misma comisaría. Fue en el momento en que denunció, hace unos meses, el robo de sus cinco gallinas ponedoras, las que tenía en el fondo de su rancho. El testigo expresa que no lo unía con el nombrado ningún vínculo de amistad ni de parentesco. Responde negativamente también al resto de las preguntas que se le formulan para determinar las tachas testimoniales. De modo que no fue deudor ni acreedor ni obtiene beneficio o sufre perjuicio con cualquier resultado que arroje la investigación. Preguntado respecto de su relación con el herido Belisario Roque Peredo expresa que también lo conoce, pero en este caso por ser vecino del declarante. Los ranchos de ambos se encuentran a unos doscientos metros de distancia, camino hacia la laguna. Y además, por haber trabajado junto a Peredo en faenas del campo, sobre todo en las cosechas de alfalfa y trigo en distintos establecimientos de la zona. Tampoco le comprenden las generales de la ley en este caso. Interrogado

97

acerca de si vio el tiroteo entre los ya nombrados, responde que no. Si conoce las armas usadas por Peredo y Pardo, responde que no. Si observó algo que tenga que ver con el episodio que se investiga, responde que no. Si se encontraba en el pueblo de Puán la noche del homicidio, responde que no. En consecuencia, invitado a narrar cualquier dato que se refiera a los sujetos que se enfrentaron y que pueda ayudar a la investigación que se lleva a cabo, dice que Belisario Roque Peredo es una excelente persona. Siempre ha sido un muy buen trabajador y muy buen vecino. Nunca ha estado preso. No era afecto a la bebida. Sabe que llevaba una vida ordenada. Se trata de un sujeto querido y respetado por sus compañeros de trabajo. No era un hombre que tuviese problemas con la ley y difícilmente se podría encontrar un ciudadano más respetuoso de los derechos ajenos. Respecto de Martiniano Pardo puede referir conceptos parecidos. En las pocas oportunidades en que estuvo con él lo notó un policía comprometido con su función, preocupado por solucionar los delitos que llegaban a su conocimiento. Prueba de ello, dice el declarante, resulta el hecho de haberse interesado en la resolución y esclarecimiento del robo de sus cinco ponedoras, aunque con resultado negativo. Además, lo vio en la comisaría atendiendo diferentes cuestiones que lo mostraban con un evidente apego y desvelo por sus tareas. Entonces, lo que ha venido a testimoniar sobre el caso que se investiga es que sabe que entre los nombrados existía un conocimiento previo, algún tipo de relación. Y lo sabe porque varias veces los vio juntos en el rancho de Belisario Roque Peredo. En efecto, dice el testigo que hace aproximadamente un mes se encontraba buscando a sus perros en los terrenos aledaños a su vi-

vienda. Habían desaparecido días antes cuando perseguían a una hembra en celo. En ese momento, estando entre unos árboles a poca distancia del rancho, divisó al policía que salía tranquilamente de la casa de Belisario. De allí que no le quedan dudas de que ambos se conocían con anterioridad al tiroteo. Que es todo cuanto tiene por declarar. Preguntado si en la oportunidad a la que se refiere Pardo estaba con el uniforme, contesta que no. De lo cual deduce que la visita no fue por motivos profesionales o referida a la labor policial que llevaba a cabo el hombre fallecido. Preguntado si sabe que entre ellos hubiera encono o resentimientos anteriores, vuelve a contestar en forma negativa. No siendo para más terminó el acto. Leída y ratificada la declaración testimonial firman los presentes a excepción del testigo Indalecio Luis Zaldívar que no sabe hacerlo y que solamente estampa su impresión digital. Siguen las firmas.

Dionisia Medina, uruguaya, treinta y cuatro años, de estado civil soltera, es empleada en tareas domésticas. Se domicilia desde hace quince años en el pueblo de Puán, exactamente desde que llegó de Paysandú, Uruguay, donde nació. Su país de origen, después de tanto tiempo de ausencia, se le ocurre distante, se diría sin sustancia, tal como suele pasarle a la gente que ya no piensa en el regreso. La precariedad de su llegada inicial, ahora, se ha convertido en un hecho inmodificable.

Dionisia Medina ha salido temprano de su vivienda. Debe llegar antes de las siete a la estancia "Los Aromos", propiedad de la familia Etchegoyen. Sabe que desde su casa hasta el campo donde tiene que realizar el trabajo la separan cinco kilómetros y medio. Es justamente la distancia que ella recorre todos los días a pie por un camino vecinal, del poblado en dirección al norte.

Se mueve con rapidez. No puede llegar tarde porque si lo hace tendrá que soportar el reto de su patrona y, en caso de que termine haciéndole perder la paciencia, es probable que también se quede sin el conchabo. Está obligada a ser puntual. No es época para andar perdiendo el dinero que, aunque escaso, ingresa seguro.

Por eso se levantó al alba, como siempre. Se lavó la cara para despejar los restos de modorra. Se arregló un poco el cabello. Tomó unos mates amargos para recibir algo caliente en las tripas y comió unos trozos de galleta aun sin ganas, tanto como para no tener el estómago vacío.

No olvidó, porque para ella era una necesidad, tomarse dos buenos vasos de vino barato.

Luego salió de la construcción de bloques y comenzó a caminar con apuro, sin perder tiempo, de manera de evitar las demoras que le podrían ocasionar los indeseables problemas con sus patrones.

A esa hora todavía no habían abierto los negocios en Puán. Observó las puertas cerradas y las persianas bajas en la zapatería de los Serenelli, en la panadería de Zabala Cifuentes, en la peluquería de don Torraca, en el almacén de los Bermejo, en la carpintería de Vicente Bufarini, en la talabartería del viejo Ocampo y en el resto de los comercios que debía cruzar antes de introducirse en el sendero estrecho, sendero para una sola carreta o una sola huella, que la llevaba directo hasta la misma tranquera de "Los Aromos".

La mañana estaba fresca y no corría viento, situación que la alivió porque no iba a llegar llena de tierra y polvo como le sucedía habitualmente. Tampoco vio nubes, lo cual le indicaba que era un día propicio para lavar las sábanas, las fundas y los manteles que utilizaba la familia que la empleaba. La bomba de agua era nueva y eso le facilitaba en cierta medida las tareas puesto que no tenía que ir hasta el pozo y acarrear copiosos baldes que le doblaban la cintura y le encorvaban la espalda. Le bastaba solamente con hacer un poco de palanca en la manivela, dos o tres veces, no más, para que el líquido saliera a borbotones, incluso en exceso, mucho más de lo que precisaba.

Se alegró de que su vida estuviera bien. Hacía tiempo que sus cosas habían tomado un cauce moderado que la satisfacía y le brindaba cierta confianza en sí misma. Tenía trabajo, comida, vivienda y, algo que hasta ese entonces le resultaba esquivo, tiempo para el descanso durante los fines de semana. Realmente no podía quejarse. Siempre contaba con monedas extras para comprar un poco de vino, tabaco y para jugar unos centavos a la quiniela. ¿Qué más podía pedir? ¿Qué otra cosa podía necesitar?

Tal vez sólo le faltaba la compañía de un hombre que le calentara la cama de vez en cuando. Alguien que pudiera calmar sus deseos, satisfacerla aunque sea de manera intermitente, como para no olvidarse del placer que le producía el sexo.

Hacía unos meses que no tenía encuentros de esa naturaleza y entonces había comenzado a extrañar el acercamiento masculino. Ni siquiera lo quería en forma permanente. Nada de eso. Los hombres tarde o temprano terminaban por cansarla. De modo que prefería uno inconstante, alguien que no fuera todas las noches a su casa ni viviera con ella, sino que la fuese a visitar en forma esporádica. Uno casado por ejemplo. O uno de esos viajantes que llegaban una vez por semana o por quincena al pueblo a vender sus mercancías. Le gustaban más esas sorpresas inesperadas, el hecho de ansiar una posible llegada, que la rutina de compartirlo todo, y peor, durante todo el día.

Sonreía mientras pensaba en eso. Disfrutaba por anticipado una relación que tarde o temprano iba a aparecer. Siempre había sido así. Las felicidades de colchón nunca se le espaciaban en demasía.

En el camino, a un mismo tiempo vio la hilera pareja de álamos elevada en el ingreso al predio de los Martínez Cabral –conocidos por sus cuantiosas producciones ovinas–. Los árboles le avisaban que pronto alcanzaría la mitad del trayecto. Y a la vera de la huella marcada por el tránsito de los sulkys, observó la presencia sorpresiva de un joven inmóvil con una brizna de pasto entre los labios que no despegaba la vista de su cuerpo en movimiento. Si bien se trataba de un desconocido, supuso que debía ser un peón de la zona, uno de esos que andan de chacra en chacra y de huerta en huerta trabajando en las cosechas. El sitio donde estaba detenido y su vestimenta así lo indicaban. Las alpargatas, el pantalón sucio de trabajo, la camisa gruesa, el pañuelo en el cuello y la gorra descolorida no hacían otra cosa que delatar con certeza su ocupación.

Ni bien lo vio, Dionisia pensó que tal vez podría ser el hombre que andaba buscando, el que iba a alegrarla esporádicamente en sus noches de aburrimiento. No era atractivo ni mucho menos, pero, en contrapartida, tenía un buen cuerpo, seguramente fibroso debajo de la ropa ajada. Quizá con agua y jabón consiguiera mejorarlo, lograra darle el toque de limpieza y color que le estaba haciendo falta.

Lo primero que le llamó la atención fue que la mirara tanto. Y que lo hiciera de esa manera tan peculiar. Se diría poco amistosa, como si ella tuviese que pagarle alguna deuda atrasada o lo hubiera ofendido de algún modo. Aunque inmediatamente desechó sus presunciones. A esa hora de la mañana todo el mundo suele andar con cara seria.

Una bandada de gorriones que cruzó por encima de su cabeza y el ladrido cercano de unos perros la sobresaltó.

Por un momento se distrajo de la presencia extraña. Trató de descubrir por dónde le saldrían al paso los animales metiendo bullicio como hacían a diario hasta que por fin, cansados, se alejaran corriendo y lanzándose mordiscones entre ellos. Pero esta vez no sólo no aparecieron sino que, repentinamente, dejaron de ladrar.

Cuando volvió a mirar en dirección al lugar en donde el hombre joven que la había sorprendido esperaba de pie, comprobó que ya no estaba allí. Había desaparecido a una velocidad llamativa. Y lo raro era que no tenía muchos sitios para ocultarse si ésa fuera su intención, apenas unos cuantos álamos, un sector con pastizales altos y un terreno bajo pronunciado. Enseguida se olvidó del asunto. Después de todo debía apurarse para llegar a horario a su trabajo.

Se rió de sí misma. No era posible sospechar que sus deseos se corporizaran al instante. Había estado pensando que necesitaba una compañía para su lecho y de pronto había aparecido ese peón como si hubiera sido una respuesta a su pedido, una solución a su carencia. No podía suceder.

Si bien nunca había tenido que soportar desgracias o tristezas prolongadas, tampoco golpes de suerte formidables.

A pesar de todo la idea la alegró. Estaba segura de que no pasaría mucho tiempo sin conseguir un amante. Y se sentía mejor después de ese convencimiento, más animada en su caminata matinal.

Llegó a una curva que pocos metros después se elevaba en una pequeña lomada; varias rocas de buen tamaño señalaban a ambos lados del camino el punto más alto de la subida, el trecho que más le costaba atravesar. Pero que, debido a los esfuerzos repetidos, había terminado por fortificar sus muslos y sus pantorrillas.

Cuando consiguió ascender al promontorio luego de su esfuerzo moderado, jadeaba. Su respiración se había agitado. Aunque desde allí arriba el paisaje alcanzaba todo su esplendor y ella podía divisar con claridad los dos kilómetros que todavía le quedaban por recorrer.

Comenzaba a recuperar lentamente el aliento perdido y comprobó que su ritmo respiratorio volvía a la normalidad. Por fortuna, el resto del camino se convertía en una suave pendiente que le facilitaba el traslado.

Otra vez la sonrisa maquillaba su rostro. Debía agradecer no sólo el hecho de tener trabajo permanente sino también la posibilidad de ver estos amaneceres inigualables, respirar el aire fresco de las seis, gozar del ambiente conocido y, quizás lo más importante, disfrutar de todas esas posesiones en un mismo momento, a un solo tiempo.

Y fue precisamente en ese instante, cuando pensaba en ellas, o en su buena suerte, que el golpe la derribó. El mazazo inesperado. Un impacto artero que recibió en pleno rostro la hizo primero trastabillar y luego caer sobre la tierra surcada por las ruedas de los carros. Alguien había salido de entre las rocas y la había atacado. Perpleja y un poco mareada por la potencia de la agresión, ni siquiera se dio cuenta de que el hombre ya estaba sobre ella golpeándola una y otra vez, arrancándole el vestido con violencia, amenazándola con un cuchillo y tapándole la boca con la mano para que ni un grito, que por otra parte hubiera resultado inservible en la soledad de la llanura, pudiese escaparse de su garganta.

Así era Belisario Roque Peredo, eficaz a la hora de cometer sus crímenes. Preciso, racional.

Y el hecho, aunque con connotaciones parecidas a las que ansiaba Dionisia Medina, estaba claro que no era justamente lo que ella quería para sí. No era lo que anhelaba. Eso estaba muy claro.

Expediente Judicial número diez mil treinta. Homicidio y Lesiones Gravísimas. Puán, marzo dieciocho de mil novecientos dieciséis. Llevadas a cabo las diligencias urgentes y necesarias ordenadas por la Instrucción y dispuestas por el magistrado interviniente para instruir este sumario: Se resuelve llevarlo a la consideración del Señor Juez del Crimen Doctor Manuel Araneda, a cargo del Juzgado Penal del Departamento de Costa Sud, a efectos de que ordene las nuevas medidas que entienda menester. Adjunto un revólver calibre treinta y ocho, marca Goliat, número 14951, cargado con cuatro balas y dos cápsulas vacías y un revólver "Colt" de policía, de similar calibre, registrado bajo el número 2534 con la misma cantidad de balas e igual número de cápsulas vacías. Asimismo, se remite junto a esos objetos, un cuchillo de hoja afilada, con manchas de sangre en ella, mango con incrustaciones de plata que poseía el imputado entre sus ropas al ser revisado en la vía pública cuando fue hallado herido en el lugar del hecho que se investiga. Justamente en ese acto le fue secuestrado para agregar al trámite de la investigación, circunstancia que se da a conocer en el proceso al Juez que entiende en la causa. Se hace saber, por otra parte, que se encuentra detenido y a la vez internado en el Hospital Público Municipal local, con la correspondiente custodia, el Señor Belisario Roque Peredo, presunto autor del homicidio. Se comunica

*a la autoridad judicial que ya se encuentra fuera de peligro
y a punto de ser dado de alta. De modo que se informará
cuando esté en condiciones de ser trasladado a la Cárcel
Pública de la ciudad de Bahía Blanca a disposición del mismo magistrado si es que Su Señoría así lo dispone. Firmado Modesto Rivarola. Comisario.*

*Se agrega a las actuaciones un volante o panfleto que fue en-
contrado adherido a las paredes en distintos organismos e
instituciones del vecindario y que textualmente dice:*

*El pueblo de Puán pide justicia. Cobarde asesinato del agen-
te Martiniano Pardo. En la noche del 26 de febrero de 1916,
a las 22:15 horas, fue asesinado cobardemente, mientras estaba de servicio, el agente Martiniano Pardo. El autor del
alevoso crimen fue el detenido Belisario Roque Peredo. Este bárbaro hecho se produjo en momentos en que el heroi-
co policía procedía a la detención del delincuente que aún
permanece internado. En nombre de la vindicta pública pro-
testamos por el alevoso homicidio perpetrado en la persona
de un servidor del orden, máxime que fue en el desempeño
de su cargo y cuando se aprestaba a cumplir con su deber.
La opinión de la comunidad ha dado ya su sanción sobre el
horrendo crimen; corresponde ahora al Comisario y Jefe de
la Policía y al Señor Juez Penal el merecido castigo para la
bestia sanguinaria que ha tronchado la vida de un esforzado servidor de la Patria. Y sepan las autoridades que si no
se hace justicia los ciudadanos de Puán no van a echar ce-
rrojos al desgraciado suceso que los enluta a todos por
igual. Por la majestad de la justicia y por la tranquilidad de*

este vecindario pujante y pacífico pedimos la reparación
para la víctima y el correspondiente castigo para su victima-
rio. Comité de Vecinos Pro-Justicia.

María Ceñudo está haciendo las compras. En una bolsa carga unas pocas verduras y algo de fruta, suficientes para ella y su patrona, y en otra, azúcar, arroz, yerba, café y fósforos. Del pedido de Doña Ramona sólo le falta el pan. Deberá atravesar varias cuadras para llegar al negocio de panadería de Hermenegilda, pero no tiene ganas, su ánimo no es el mismo desde que fue violada. No hay nada que levante su espíritu. Ya no sonríe como antes ni canta canciones españolas mientras camina. No se alegra si se encuentra con personas conocidas y menos cuando el aire de la mañana pronostica un buen día. Su entusiasmo por vivir se ha derrumbado, y las simplezas cotidianas que le daban placer ahora le provocan indiferencia, tal vez cierta sensación de cansancio parecida al fastidio. No es depresión, sino más bien apatía, u otro sentimiento que no se toma el trabajo de analizar. ¿Para qué? Le falta voluntad, le sobra desgano.

Siempre había sido muy risueña, de allí que su cambio se vea tan radical. Sus hombros están caídos y la boca clausurada; la palidez ha cubierto sus mejillas y su frente; pero si algo llama la atención es la muerte prematurá, y en vida, de sus ojos oscuros.

Su andar es lento, exageradamente lento, aunque no tiene nada que ver con la fatiga, son las órdenes indolentes que le dicta un pensamiento herido, maltrecho, tanto como es posible, tanto que logra desahuciar.

No sabe hasta cuándo debe soportar el decaimiento, ni si quiere hacerlo. Le da igual seguir respirando que imaginarse algún final. Cualquiera.

Unos niños corren en la calle mientras disputan un juego infantil. Ella los ignora distraída en sus pesares. Y eso que son las mismas criaturas que días antes estimulaban su simpatía natural.

María Ceñudo se siente culpable de su desgracia. La razón y los sentidos suelen hacer tretas engañosas ¿Por qué escuchó los ruidos? ¿Por qué entró en la habitación esa noche? Tal vez, si se hubiera encerrado en su cuarto nada habría pasado. Quizá ahora sólo tendría que lamentar los destrozos en el mobiliario, por ende, daños sin mucha gravedad. Pero ella entró, tuvo que ver lo que estaba sucediendo, y por eso se arrepiente, se culpa. Cree que es la única responsable de su tragedia, y hasta supone que ese error es peor que el dolo del agresor, que la maldad de un hombre sin escrúpulos. Conclusiones impostoras de una mente humillada.

Un joven de unos veinte años la contempla. Hay un interés especial en esa mirada limpia que atraviesa de adentro hacia fuera la vidriera de la zapatería. Su cara tiene los rasgos armónicos de los italianos, unos ojos claros como los de su madre y las manos callosas de su padre. Es un aprendiz en la confección de calzado, pero pronto será tan bueno en el oficio que podrá hacer todo el trabajo solo. No lo asusta el exceso de labor, por el contrario, si algo le da gusto es compartir el esfuerzo con su familia, ayudar y progresar. En esas condiciones es fácil dar lo mejor de sí. La tarea deja de ser un esfuerzo y se torna un placer cuando los resultados son compartidos. El carácter diligente y resuelto es un atributo de sangre, una herencia bien atrapada. Es el hijo mayor y su nombre es Giuseppe, pero en Puán lo llaman José.

Todos los días espera el paso acostumbrado de María, el cruce que si bien lo desvía por un momento de su actividad lo completa y lo regocija para el resto de la jornada. Sin embargo, se deja ganar por el desencanto cuando ella, por un motivo u otro, no va a la panadería de la esquina enfrentada y debe tolerar su ausencia. En esas ocasiones se amarga, pero le dura poco, apenas hasta la mañana siguiente cuando la expectativa vuelve a renacer.

Siempre se miran, siempre sonríen, y él ha llegado a creer que esa sonrisa que le devuelve María es un poco más que simple cortesía, algo más que amabilidad. Quizá, de no haber sufrido la agresión, la cosas hubieran sido distintas...

Pero Giuseppe, con la frescura de su edad, con la nobleza de sus deseos bien avenidos, convencido, se deja llevar por sus impulsos y hoy sale a su encuentro. La saluda, se ofrece a llevarle las bolsas y a acompañarla. Le brinda lo mejor que tiene, o lo único que tiene: él mismo. Simplemente, naturalmente.

Hay gente que no necesita esconder nada. Tampoco mostrar. La fuerza de su presencia radica en la pureza de sus actos.

Ni siquiera el galanteo la conmueve. El ánimo apacible del muchacho y los buenos modos no alcanzan a conseguir que ella muestre sus dientes. Los labios están pegados por el desinterés. Los hombres ya no cuentan para ella, arrastran una carga que los abarca a todos. Con saber cómo es uno, basta y sobra.

Giuseppe insiste, y cada insistencia provoca un rechazo inmediato, pero no uno violento, sino un leve movimiento lateral de cabeza que es tan definitivo como la peor de las negativas gritada a viva voz.

Ambos se desgarran aunque por motivos diferentes. Ambos tropiezan aunque con distintas piedras. Ella no puede ver más lejos de lo que le permite su herida, y él sólo ve lo que los hechos le muestran.

Está claro que uno de los dos está sano. Justamente ése es el que va a recuperarse rápidamente de la desilusión.

Expediente Judicial número diez mil treinta. Homicidio y Le-
siones Gravísimas. Bahía Blanca, abril 23 de 1916.

Autos y Vistos: Y Considerando:

1°) Que mediante el parte policial de fojas 1, 2, 3 y 4, par-
tida de defunción de la víctima Martiniano Pardo de fojas 35,
autopsia de fojas 8, informes médicos de fojas 12 vuelta y 52
vuelta respecto del estado de salud del imputado Belisario
Roque Peredo, croquis de fojas 60 del lugar del hecho, peri-
cias balísticas de fojas 73, allanamiento en el domicilio del
imputado y secuestro de objetos robados de fojas 75, declara-
ciones testimoniales de las siguientes personas: Ramona Pe-
draza, fojas 9, María Ceñudo, fojas 11, Hermenegilda Zabala
Cifuentes, fojas 14, Angélica Vitángeli de Serenelli, fojas 21,
Margarita Weissmüller, fojas 22, Dionisia Medina, fojas 24, In-
dalecio Luis Zaldívar, fojas 26 y Donato Malaspina, fojas 27,
junto a las demás diligencias practicadas en el expediente
acreditan en estos autos la existencia del cuerpo del delito de
homicidio en la persona de Martiniano Pardo.

2°) Que la comisión del delito por parte de Belisario Ro-
que Peredo surge: a) del arma encontrada en su poder; b) de
las pericias balísticas realizadas sobre la misma en relación
con las balas que interesaron el cuerpo de la víctima; c) de
las declaraciones testimoniales relacionadas en el punto pre-
cedente; d) de los objetos denunciados como robados que
fueron encontrados, allanamiento mediante, en el domicilio

del imputado, circunstancia que refleja que el mismo estaba siendo aprehendido por el agente del orden en el momento en que se produce el tiroteo.

Que, prima facie, *la responsabilidad criminal en que ha incurrido Belisario Roque Peredo es la que prevé y castiga el artículo 79 del Código Penal, individualizada como "Homicidio simple", con penas que van desde los 8 a los 25 años de prisión o reclusión.*

Que por esto y lo que disponen los artículos 13 de la Constitución de la provincia de Buenos Aires, artículos 179 y 180 del Código de Procedimientos, conviértese en prisión preventiva la detención que sufre el prevenido Peredo por resultar de autos indicios vehementes y semiplena prueba de ser autor del delito de homicidio en la persona de Martiniano Pardo, hecho ocurrido el día 26 de febrero de 1916 próximo pasado en el pueblo de Puán.

Dese intervención al Ministerio Público y Defensor de Pobres y Ausentes que representa al acusado. Señálase la audiencia del día 25 de agosto del corriente a las 9:00 horas a fin de que comparezcan a prestar declaración los testigos que indican los escritos de la defensa y de la acusación fiscal. Líbrese el respectivo oficio de notificación. Regístrese y Notifíquese. Manuel Araneda. Juez Penal.

Martiniano Pardo camina despreocupado por calle Belgrano, dobla en Laprida y transita toda esa cuadra hasta llegar a la intersección con Ramón Santamarina. Un cartel pintado en rojo y azul en medio de la vereda, con el que tropieza, avisa a los transeúntes que la peluquería de don Torraca se ha mudado a un local ubicado en calle San Martín, el mismo sitio donde antiguamente funcionaba el correo.

En su habitual ronda nocturna se detiene en la esquina y mira hacia los costados con desgano para terminar comprobando que no hay nada que vigilar en el pueblo. En todo caso, el único peligro potencial podría ser él mismo, o su cómplice Peredo, pero el resto de la gente se maneja con un proverbial respeto por la ley.

Sabe que en el lugar no puede pasar nada grave. A lo sumo, su problema más importante en esta noche de verano será desentrañar qué va a hacer con el tedio.

Hace mucho calor y el uniforme policial le resulta pesado. Provoca su transpiración copiosa. Le gustaría sacárselo y andar en mangas de camisa, más suelto, aunque el comisario se lo ha prohibido. Ha dicho que lo castigará si vuelve a verlo sin el ambo oscuro completo que representa a la institución.

En Quilmes tenía algunas libertades. Pero aquí, Rivarola no le permite cierta clase de atrevimientos. Y no usar la ropa de la fuerza cuando está en funciones es uno de ellos.

116

Una gota gruesa resbala desde el nacimiento de su cabello hacia abajo, pasa por la frente y se desbarranca sobre la sien luego de dar un extraño giro encima del arco superciliar. La temperatura elevada poco a poco le va haciendo perder tranquilidad. Mina su paciencia escasa y espolea su facilidad para la irritación. Una circunstancia nimia se agrega a su malhumor: no tiene a Rosaura cerca para descargarse con ella. De modo que deberá aguantar su enojo con resignación. Está obligado a soportarlo porque no tiene otro remedio.

Bajo el farol que ilumina la bocacalle arma un cigarro y fuma con apatía, aburrido, como para matar el tiempo que le resta hasta finalizar su guardia. Coloca la palma de la mano en la cara e inmediatamente la humedad de su piel acalorada se impregna sobre los dedos hinchados del verano.

"La puta madre...", se queja el policía en voz baja mientras seca el dorso mojado en el mismo uniforme que le sobra en esta noche sofocante. "La puta madre...", repite con un poco más de molestia. Maldice al comisario, maldice el calor y maldice el pueblo muerto.

Si no estuviera Belisario que le brinda placer de vez en cuando y si no fuera un vecindario tan lucrativo hace ya tiempo que hubiera pedido el traslado. Se ha enterado que existen vacantes en comisarías de Pergamino, de Tandil y en otros sitios de la provincia, en localidades más prometedoras que Puán. Ya verá lo que hace. Tampoco piensa quedarse varado eternamente en medio de la Pampa, entre pasto, bosta y tierra. No es lo suyo ni lo que aspira para su futuro.

De pronto, un hecho trivial lo distrae, lo saca de su en-

117

simismamiento. Oye unos gritos que resuenan con nitidez en las calles desiertas. Risas estentóreas que lo alejan de su abulia y lo reintegran a la realidad, al ejercicio de sus tareas de vigilancia. Camina decidido buscando el lugar desde el cual partieron las voces y se mantiene atento mientras trata de captar con mayor precisión la fuente del sonido para no equivocar su propia dirección. En escasos segundos llega a Avellaneda, justo en la esquina con 9 de Julio.

Allí descubre a tres jóvenes, en apariencia borrachos, que toman vino y ríen a carcajadas provocando un alboroto intenso; un desorden ruidoso que, sin dudas, despertará a los vecinos del pueblo.

Martiniano Pardo no lo puede permitir. No lo va a permitir. Está para eso, para evitar las infracciones y los excesos de los energúmenos. Ésa es su actividad y por ella le pagan, para hacer respetar los derechos de los ciudadanos.

Ni bien lo ven llegar se quedan mudos, como si repentinamente se les hubiera pasado la borrachera. Una súbita sobriedad se apodera de sus rostros extrañados. Quietos y sorprendidos.

Uno de ellos intenta esconder la botella pero lo hace con tanta torpeza que su acción lo deja al descubierto, máxime que el recipiente cae y queda a la vista de todos, con el pico encima de sus pies que pretendieron, en un acto inconsciente, evitar el destrozo que hubiese provocado el choque del vidrio contra el suelo.

Ninguno llega a los dieciocho años. El desarreglo adolescente de improviso los coloca en una situación embarazosa de arreglo complicado. No ha aparecido Donato Malaspina a quien conocen desde hace años y saben que los

118

perdonaría después de hacerles escuchar un sermón, en silencio. Es el otro, el parco.

Nunca han estado frente a él en una circunstancia similar y, por esa razón, no saben cómo va a reaccionar. Pardo es una incógnita.

El policía los mira indignado. Los acusa y los reprueba a la vez con un mismo y único vistazo. ¿Cómo se atreven a dar semejante espectáculo en el momento en que él está de guardia? ¿Cómo es posible que no tengan educación ni les preocupe el descanso ajeno?

Su personalidad desviada cuenta con una característica de ensamble perfecto: inflexible con los débiles y obsecuente con los poderosos.

Una ráfaga de temor envuelve a los jóvenes al descubrir el castigo inminente en los ojos del agente, la sanción reparadora que va a aplicarse sin juicio previo y sin sentencia escrita.

Martiniano Pardo saca su rebenque y da un golpe débil y seco contra el talón de su bota como para ir avisando lo que les espera, lo que en ese mismo instante les ha preparado. Sin hesitación, comienza a ejecutar la orden que le dicta su cerebro desquiciado.

El primer rebencazo violento se estrella contra el lomo del joven al que hace un momento se le cayó la botella. Al unísono se escuchan el sonido franco del cuero del arma golpeando encima de la camisa y el grito de dolor que se escapa de la garganta abierta. Y como si se encontrase poseído, vuelve a descargar el talero una y otra vez ahora sobre los tres muchachos, con saña, con vehemencia, con una brutalidad inhumana, propia de gente que ha perdido la sensatez. Y lo hace sin respiro, con resolución, subiendo y bajando el brazo en medio de su alienación, en el cerco que le propone su locura.

Cierra sus dientes y presiona los maxilares. Da la impresión de que la construcción de ese cerramiento en la cara de alguna manera inexplicable se relaciona con la descarga intermitente de su hombro. Su semblante parece el extremo facial del rebenque. Y golpea sin detenerse, enajenado, hasta que en un descuido, dos de ellos alcanzan a salir corriendo despavoridos mientras dejan inerme al restante que debe soportar no sólo lo que según Pardo merecía, sino también lo que había previsto para sus compañeros.

La condena debía ser cumplida. La ley es la ley, pensó. Y hay que respetarla. Para eso estaba él, para eso le pagaban.

El joven toleró como pudo el desenfreno de la bestia criminal. Hasta que finalmente el castigo recibido lo hizo caer en la inconsciencia.

Adjunta nota.

Señor Juez Penal:

Tengo el deber de dirigir a Vuestra Señoría el presente escrito agregando una carta que fuera recibida en esta Comisaría de Puán de manos del Presidente y Secretario de la Asociación de Productores Agrícolas de la región. Dicho organismo se ha movilizado por la detención del vecino Belisario Roque Peredo. En el documento se solicita la pertinente presentación de la misma esquela en el expediente que se instruye al efecto. Firmado. Modesto Rivarola. Comisario.

Señor Juez

Doctor Manuel Araneda:

En nuestro carácter de representantes legales de la Asociación de Productores Agrícolas queremos hacerle llegar la presente carta en virtud de que con estupefacción hemos conocido la noticia que señala el dictado de prisión preventiva sobre la persona de Belisario Roque Peredo. Medida que se ha tomado por encontrarlo presunto autor del homicidio de quien en vida fuera el agente policial Martiniano Pardo.

Al respecto urge aclarar que dicha noticia no puede menos que asombrar a todos los integrantes de la institución que representamos puesto que el nombrado es un trabajador honesto, cabal y pleno de cualidades dignas de destacar. A una conducta por demás laboriosa y esforzada en el cumpli-

121

miento de sus trabajos agrícolas en beneficio de los distintos propietarios –reunidos en nuestra Asociación de Productores– le agrega un trato cordial y una hombría de bien que se desprende cristalinamente del simple contacto cotidiano. Pocos han sido los asociados que no lo tuvieron como dependiente lo cual indica su tendencia a la laboriosidad cualquiera sea su eventual empleador. Todos ellos, sus contratantes, pueden dar fe de su honradez acabada y de su predisposición incansable cuando se trata de cumplir con las complejas y variadas actividades rurales que se le encomiendan. Muy buen trabajador y mejor ciudadano. Ésos son los atributos que lo describen con precisión. Y, en consecuencia, nos sorprende que tanto la Policía como el Poder Judicial lo encuentren envuelto en un hecho de características criminales, características que resultan, por supuesto, tan ajenas a su persona y a sus condiciones morales que nos vemos compelidos a oponer dura resistencia antes de aceptar tamaña imputación, semejante infamia.

Pero, aun así, no dudamos de los resultados finales. Una vez que hayan sido esclarecidos totalmente por la Justicia los acontecimientos que se investigan la verdad surgirá diáfana, despojada de las sombras que hoy extrañamente la oscurecen y la confunden. Estamos seguros de que Belisario Roque Peredo no ha cometido ni cometerá delito alguno. Los individuos sanos y honrados tarde o temprano terminan demostrando sus virtudes al resto de la población: años de trabajo denodado y conjunto no pueden habernos engañado.

Nuestra Institución hace votos insistentes para que se encuentre al verdadero culpable del ilícito, al cruel homicida que ha segado la vida de un servidor público que también, tal como Peredo, desde su lugar trabajaba en pos de un pueblo mejor, una vecindad mejor.

Rogamos para que se logre la dilucidación total del caso y, una vez que esto haya sucedido, no creemos desmedido exigir y esperar nuevamente la virtual limpieza del nombre del acusado y la ausencia de manchas en su ética y honor. Se trata de un hombre que palmariamente está siendo sometido a un proceso que no lo debería tener como principal implicado y menos por un crimen que de consuno con sus calidades personales, evidentemente no ha cometido.

Saludamos a V.S. con alta consideración.

Firma Presidente y Secretario de la Asociación de Productores Agrícolas.

Expediente Judicial número diez mil treinta. Homicidio y Lesiones Gravísimas.

Bahía Blanca, mayo 2 de 1916.

Autos y Vistos: Agréguese la nota presentada. Atento los términos de la misma es menester aclarar que aun cuando sus argumentaciones hayan sido pronunciadas de buena fe y en defensa de un trabajador a quien la institución conoce, apoya y cree inocente, no es menos cierto que la investidura que detento no me deja pasar por alto ciertas intromisiones como la que ahora me toca analizar.

El tributo que como Juez puedo aportar a la sociedad se apoya básicamente en la libertad e independencia que poseo para administrar justicia. Y está claro que ninguna asociación ni persona o poder por importante que sea podría hacerme dictar una sentencia que fuera contraria a la ley o a mis *íntimas convicciones sostenidas por las pruebas que se reúnan en el expediente.*

De modo que esta presión que intenta de alguna manera amedrentar mi ánimo para que favorezca al acusado Belisario Roque Peredo no sólo ofende a mi conciencia y a mi honestidad sino que además se convierte en un evidente ataque a los Poderes del Estado. Se trata del absoluto desconocimiento del concepto que los magistrados judiciales deben merecer, quienes por su acrisolada moral y por razones reglamentarias muchas veces se ven impedidos de rechazar abiertamente las críticas que injustamente les profieren. Prueba de ello son las constantes agresiones que sufren en silencio y sin poder alzar la voz.

Como ejemplo de tales situaciones basta con citar los ataques reiterados que tolera el Poder Judicial y que provienen de la ingrata pluma de los periodistas, quienes, aun sin saber de Derecho y basándose por lo general en cuestiones triviales e intrascendentes para la resolución de un pleito, pretenden determinar cuándo una sentencia es justa y cuándo no lo es. Mal funcionaría un país si los jueces nos dejáramos influir por la prensa.

Y así como jamás me he dejado coaccionar por medio gráfico u oral alguno, tampoco lo puedo hacer ante el embate inescrupuloso de una Asociación de Productores Agrícolas cuyos oscuros fines perseguidos con esta reprochable conducta desconozco.

De modo que, en la ocasión, formulo un severo apercibimiento a los miembros de la institución de cuyo cuestionamiento me ocupo, advirtiéndoles que en caso de insistencia procederé a formular la correspondiente denuncia por coacción agravada ante el restante Juez Penal del Departamento Judicial de Costa Sud. Firmado Manuel Araneda. Juez Penal.

Rosaura Collazo Uribe, paraguaya, treinta años, instruida, se ocupa de los quehaceres del hogar. Está casada con Martiniano Pardo y se domicilia en el pueblo de Puán, partido del mismo nombre.

Rosaura Collazo Uribe camina lentamente y con mucha dificultad por las calles en donde la zona urbana llega a su fin.

Camina lentamente y con mucha dificultad por el lugar exacto en donde el trazado de las arterias municipales comienza a dar paso a las extensiones interminables de los hacendados linderos. A la llanura invadida sólo por animales vacunos, ovinos y distintas especies silvestres. Se trata de calles polvorientas y enmalezadas que serpentean entre los últimos baldíos y las escasas construcciones precarias que el poblado levanta en ese sitio.

Es lógico que la comuna no se ocupe del cuidado y la higiene en estos barrios repletos de indigentes: ellos no pagan tasas ni contribuciones, por lo tanto, aparentemente no merecen el servicio municipal.

Rosaura deambula con tanta morosidad que se diría que es una anciana. Tiene el andar de los convalecientes. Aunque justamente su lentitud obedece a un hecho puntual: los dolores que sufre su cuerpo maltrecho luego de las constantes palizas diarias a las que lo somete su esposo en la intimidad, entre las paredes de la propia cárcel familiar.

No tiene un solo centímetro de organismo sano. Cada sector ha recibido el correspondiente golpe de la mano poderosa de su verdugo, del señor que dicta las leyes y aplica los castigos en su morada.

Se dirige al tambo. Comprará varios litros de leche y luego pasará por el criadero para aprovisionarse de huevos. No sale mucho de su vivienda, teme que esa conducta haga enojar a Pardo. Y ella, por supuesto, no quiere que Pardo se enoje.

Ni siquiera le cuenta su desgracia al cura, ¿para qué?, ¿en qué podría ayudarla? La oculta con hermetismo fanático en su cabeza sitiada por el pánico, en su cabeza ya completamente enferma. No mira a su alrededor, sólo se traslada como una autómata, como alguien que tolera el descarnado encierro interior. No puede registrar nada de lo que ocurre cerca o lejos de su figura. No puede registrar nada que no esté dentro de su cuerpo. Su atención se ha vuelto volátil o, en todo caso, la dirige únicamente al cumplimiento de las órdenes que le da su esposo.

Apenas siente la llovizna fina que ha comenzado a caer y moja su cara; esa misma garúa que poco a poco empapa su vestimenta, el pañuelo con el que cubre parte de su cabello y sus alpargatas estropeadas por una mezcla de circunstancias que aseguran resultados: el uso intenso y el transcurso del tiempo. En la derecha se ve el dedo menor que asoma tímidamente a través de la tela percudida.

No hay dinero para ella. No hay dinero para un miserable par de alpargatas nuevas. Pardo es el solvente. El único en la vivienda que cuenta con varios pares de botas caras, altas, hechas a medida por el zapatero Serenelli; confeccionadas para que calcen adecuadamente y otorguen ese toque elegante y a la vez cómodo que le sienta tan bien.

Tal vez, si ella se esmerara un poco más e hiciera lo que Martiniano Pardo le exige en el hogar, él no se enfurecería todo el tiempo y hasta es probable que le comprara unas económicas alpargatas negras, que son menos sucias que las blancas.

¿Sabrá Rosaura que en este momento llueve? ¿Se dará cuenta de que a veces, en su camino, chapalea en el fango? ¿Notará que la fina llovizna que caía sobre su cuerpo de pronto se ha transformado en un aguacero implacable?

Tose. Y esa tos quizá no provenga de una enfermedad respiratoria o de una gripe, sino de los golpes soportados en su espalda, de los puñetazos que recibe debajo de los omóplatos, a la altura de los pulmones.

Alguien pasa cerca. Corre a guarecerse de la tormenta copiosa en una de las últimas casas que se levantan en el pueblo. A su paso la ha reconocido e intenta saludarla, después de todo es la esposa del policía; pero ella no lo ve, sabe simplemente, porque ha recibido la directiva de Pardo, que tiene que ir al tambo a comprar leche. Ése es el único mandato que ha captado su cerebro. Lo que aparezca alrededor sobra. Está de más en el acotado espacio de movimiento que le dejan las instrucciones.

Belisario Roque Peredo también recibe la lluvia en su rostro. Tal como le ocurre a Rosaura, no se inmuta, aunque por razones diferentes: se ha acostumbrado a las inclemencias climáticas desde que era un niño. Se ha criado así. En el campo no hay muchas posibilidades de elección.

Belisario calza unas alpargatas negras gastadas. Son

128

muy parecidas a las de Rosaura Collazo Uribe de Pardo. Igual que ella chapalea en el barro sin intentar siquiera sortear los charcos que ya se han formado por doquier. La lluvia los ha ido dibujando sobre la tierra irregular, sobre las calles olvidadas por la comuna. Pisa fango, yuyo, estiércol... No le molesta el chubasco que arrecia porque sus objetivos sobrepasan con holgura los inconvenientes. Un deseo empuja su necesidad trastornada.

Tiene la camisa y los pantalones empapados, tanto como el cabello que, por fin, recibe un poco de agua.

La sigue desde hace un par de cuadras, a pocos metros de distancia. En determinado momento tuvo que sacarse de encima un perro que se abalanzó sobre él, y lo hizo a puntapiés, para que aprenda a no interrumpir sus planes. Ahora no tiene que preocuparse por esconder su figura porque ella de ningún modo lo verá. No puede ver a nadie. Su temperamento atemorizado por efecto de los golpes se lo impide.

Las viviendas se acaban. No hay demarcación de calles. No hay casas ni personas. Sólo se ven las planicies extensas, las nubes negras y la lluvia torrencial que continúa cayendo abundante sobre la tierra enlodada.

Belisario apura el paso. Lo separan apenas unos trancos de la mujer, de ese cuerpo maltratado que, hoy, en pocos minutos, seguramente sufrirá un nuevo maltrato. Se excita. Un acaloramiento extremo lo domina tanto como la idea animal de tener sexo violento con la esposa de su cómplice, con la esposa de su propio amante. No se oirán los gritos; la lejanía del pueblo, el temporal y la soledad del campo serán sus aliados.

Sabe que violar está prohibido, claro, pero violar a Rosaura Collazo tiene una prohibición superior, y es precisamente esa barrera extrema la que más impulsa sus desvíos enfermizos. No es cualquier mujer; no es una criada o alguna de las otras paisanas que trabajan en la zona agraria. Ni siquiera es la manceba de Martiniano Pardo. Es nada menos que la esposa legítima del policía. Y le resulta tentador pensar en el sexo con los dos integrantes de la familia, lo asume como una forma de completar su faena hasta ese instante inconclusa y así demostrarle a su socio quién es el que manda.

Ha achicado la distancia. La tiene a dos o tres metros de su cuerpo y ella no se ha percatado. Tampoco se ha dado vuelta para descubrir su presencia amenazante y el ya próximo ataque artero. Está al acecho, a punto de lanzarse sobre la mujer. Con sólo estirar el brazo podría sujetarla del cabello o atacarla arrojándose sobre esa espalda un tanto encorvada por el dolor, sobre ese andar lento a pesar de la llovizna. Podría también tumbarla encima de los pastos mojados, o castigarla con un puñetazo directo.

Sin embargo, no sigue ninguno de esos impulsos primitivos sino que opta por aferrarla con fuerza del hombro, con la misma tenacidad y torpeza que utiliza en todos sus actos y en las acciones que dirigen su vida surcada por el desenfreno.

Entonces ella gira sobre sí misma y, sorprendida, lo ve. Recién allí se percata de la traza intimidante del hombre que está a punto de violarla.

Las miradas se chocan, y Rosaura, atravesada por un momento de lucidez, comprende que se encuentra a punto de ser, una vez más, agredida de manera brutal. Aunque en esta ocasión por otro hombre que no es su esposo.

Resignada, con la sumisión propia de aquellos a los que le han extirpado la voluntad y el orgullo, se entrega para que su agresor haga lo que quiera con ella. Y para que lo haga del modo menos cruel que sea posible.

Por eso Belisario, asombrado ante la ausencia de defensa, ante la rendición incondicional de la presa inerme, no puede consumar su violación. Sencillamente, no puede.

Acusación Fiscal.

Señor Juez del Crimen:

El Agente Fiscal que suscribe en la causa seguida contra Belisario Roque Peredo por homicidio en la persona de Martiniano Pardo en Puán, a Vuestra Señoría expone:

Primero. Del estudio de este proceso resulta que el día veintiséis de febrero del corriente año, más o menos a las veintidós quince horas, la Policía del pueblo de Puán tuvo conocimiento de la comisión de un delito. Concurrió a la esquina que forman las calles General Lavalle y Laprida en la citada población encontrando en el suelo, boca arriba y sin vida, al agente allí de facción Martiniano Pardo. Se comprobó que a escasa distancia de ese lugar, unos tres metros, se hallaba herido e inconsciente el hoy acusado de homicidio Belisario Roque Peredo. Ambos hombres poseían armas en sus manos las que luego de haber sido examinadas y después de las pericias balísticas de rigor, arrojaron como resultado ser las mismas que provocaron las heridas mortales de uno y las lesiones temporarias y graves del otro. La disputa entre los contendientes se debió, a falta de otras pruebas que acrediten lo contrario y otorguen certidumbre a las distintas teorías sobre los motivos del enfrentamiento, a la supuesta detención del procesado que en ese momento estaba llevando a cabo el agente fallecido, puesto que, con posterioridad al hecho, en la vivienda de Peredo se encontraron varios obje-

tos que habían sido robados en distintos hogares de vecinos del pueblo, así como también dinero en efectivo, presumiblemente sustraído durante esos mismos actos delictivos. De modo que no caben dudas de que el tiroteo entre los hombres se produjo en momentos en que el agente del orden procedía a la aprehensión del delincuente hoy acusado de asesinato. La perpetración del delito se encuentra acreditada tal como ya anticipara Vuestra Señoría en el auto de procesamiento. Y ella resulta de los partes policiales allí referidos; partida de defunción; testimonios señalados; autopsia; informes médicos; croquis; pericias balísticas; acta de allanamiento en el domicilio del acusado e indagatoria de Peredo, quien pese a la exorbitante falacia de su relato no ha podido distraer la atención del magistrado. Ha intentado, en su descargo, convencer al Señor Juez con mentiras tan increíbles como fantásticas. En atención a la claridad y contundencia de las pruebas agregadas en el expediente me considero eximido de hacer mérito de ellas, ya que alegar sobre tan evidente suceso sería como sobreabundar en consideraciones por demás superficiales y excesivas.

Segundo. La responsabilidad del procesado surge de todos los elementos antedichos, de los relatos de cada uno de los testigos presenciales que prestaron declaración tanto ante la Policía de Puán como frente a los estrados judiciales y que, a tenor de su coherencia y completitud, me vuelven a eximir de mayores comentarios; de las denuncias por violación recibidas con posterioridad a la detención de Peredo y por mujeres que, hasta ese momento, se habían mantenido en silencio tratando de proteger su honra y su vida; y de los objetos encontrados, allanamiento mediante, en el domicilio del procesado ya que se trata de bienes oportunamente denunciados como robados por las Señoras Pedraza, Vitángeli de Serenelli, Zabala Cifuentes, Bermúdez, Torraca, Bufarini y Benavídez. Por otra parte, adquiere un peso desmesurado el testimonio presencial directo de las Señoras Angélica Vitángeli de Serenelli y Dionisia Medina, puesto que han visto desde distintos ángulos la comisión del homicidio, los disparos ejecutados por Peredo sobre el cuerpo de la víctima.

Tercero. Por otro lado, de la autopsia practicada en el organismo de Martiniano Pardo surge que la causa del deceso ha sido la hemorragia que provocaron los mismos impactos de bala. Este hecho se corrobora con la pericial balística de la cual se desprende que los proyectiles encontrados en el cuerpo del agente policial provienen del arma que fue hallada en la mano de Peredo. En consecuencia, se concluye que la conducta activa del procesado fue la que ocasionó el fallecimiento del agente de policía.

Cuarto. La analogía existente entre las declaraciones de los testigos hace presumir que la historia del acusado se aleja de la verdad con el fin de eludir su responsabilidad en el hecho que se le incrimina, puesto que en autos aparece ilegítimamente agredido el representante del orden. Y los irritantes dichos del procesado pueden tenerse como la fiel expresión de una calumnia ajena a la realidad que contrasta con la restante prueba testimonial, prueba en definitiva uniforme y conteste que da por tierra con cualquier elucubración en contrario. Por lo tanto, finalizo diciendo que Belisario Roque Peredo es el responsable único de la muerte del agente Martiniano Pardo, pues las probanzas analizadas reúnen los requisitos que prescriben los artículos doscientos cuarenta y ocho, doscientos cuarenta y nueve y doscientos cincuenta del Código de Procedimientos Penal.

Quinto. La calificación que corresponde al hecho es la prevista en el artículo setenta y nueve del Código Penal que castiga con pena de reclusión o prisión de ocho a veinticinco años al autor.

Sexto. En atención a la cantidad de elementos robados que fueron encontrados en el domicilio de Peredo y a las denuncias posteriores de violación formuladas en contra del mismo no encuentro motivo para atenuar la responsabilidad del procesado en el hecho que se juzga, lo que así solicito se haga constar y valer en el momento de dictar sentencia.

Séptimo. Por las consideraciones expuestas y lo dispuesto por el artículo doscientos dieciocho del Código de Procedimientos Penal, ACUSO A BELISARIO ROQUE PEREDO, argentino, de veinticinco años de edad, soltero, jornalero, analfabeto, vecino de la localidad de Puán, como autor del HOMICIDIO SIMPLE de MARTINIANO PARDO y pido se le aplique la pena de VEINTE AÑOS DE PRISIÓN, accesorios legales y costas procesales de acuerdo con lo que disponen los artículos setenta y nueve, cuarenta, cuarenta y uno, once, doce, diecinueve y veinte del Código Penal y sesenta y siete del Código de Procedimientos Penal. Firmado Doctor Valdemar Arancibia. Agente Fiscal.

El calor de las dos de la tarde es insoportable. El piso de tierra del rancho hierve aun cuando ha sido regado para refrescarlo y evitar que se levante polvo. La paja del techo y las paredes de adobe crepitan como si estuviesen encendidas.

Belisario Roque Peredo transpira. Está acostado en su catre y tiene el cuerpo mojado por el sudor. De tanto en tanto gira su torso encima del colchón ajado buscando una posición que le devuelva un mínimo de bienestar.

Piensa. Pero no está acostumbrado a pensar en reposo. Es un hombre de acción y sus ideas se desarrollan mejor cuando van de la mano del movimiento. Piensa. Y sigue transpirando. Tiene la frente empapada, la espalda empapada. El nuevo olor se mezcla con el antiguo. Ambos conforman una unión intolerable. Apesta.

Las moscas lo molestan. Estira su brazo para espantarlas pero luego de un vuelo corto enseguida están otra vez sobre él, molestándolo. Una se posa en su rostro sudoroso y consigue fastidiarlo. Escucha el sonido apenas audible que provoca el movimiento insistente de una laucha que roe con paciencia en la esquina de la pieza y descubre la hilera prolija de hormigas que caminan sin pausa hacia algún resto de comida olvidado. Todo es mugre. Todo es roña y olor. Y Belisario se siente a gusto entre tanta inmundicia.

Mira la caja con el dinero y las joyas robadas. Nunca tu-

136

vo tanto, aunque cree que no es suficiente. Es tan fácil conseguirlo que nunca será suficiente.

Por lo general, los frenos y las barreras aparecen junto con el peligro, con el riesgo de ser atrapado. Y Belisario no ha pasado por verdaderos momentos de riesgo ni de peligro, apenas ha sorteado algunos obstáculos molestos, de modo que no tendría por qué abandonar sus tareas. Y menos cuando son tan generosas con sus necesidades hasta ahora postergadas, cuando le brindan la oportunidad de tener todo aquello que jamás soñó.

Está conforme. Orgulloso de sí mismo. Respira profundo y después escupe para despejar la nariz; los mocos le estaban impidiendo la libre respiración. El gargajo se estrella contra una de las patas de la mesa.

Una sensación extraña comienza a irritarlo. Le cuesta reconocer el motivo de su enojo pero al menos sabe que no es el calor. Los rigores del clima no son un problema para él.

De pronto, su instinto animal lo sobresalta. Rápidamente apoya sus pies desnudos sobre el suelo de tierra y se levanta. Camina apurado hacia la puerta y sale de la construcción precaria. El sol le da de lleno en la cara y él hace visera con su mano sobre los ojos para poder mirar en dirección al pueblo. Algo sucede. Lo intuye. Un presentimiento irracional lo acosa. Algo sucede y no precisamente para bien.

A pocos kilómetros de allí, en un rancho tan modesto como el de Belisario pero en medio del poblado, Dionisia Medina también piensa y transpira. Toma un poco de vino y eructa.

Sabe que su violador recibirá el castigo que se merece. Está segura. Tiene la convicción que siempre acompaña a la fe. Además, esa certeza firme se sostiene en un dato inconmovible: el presagio de la curandera que ha visitado le ha confirmado sus sospechas. La mujer quemó varios yuyos y raíces en el afán de adivinar el futuro. Caminó alrededor de la fogata, dijo algunas palabras que Dionisia no alcanzó a entender y se arrodilló elevando los brazos al cielo mientras rezaba una plegaria tan singular como monótona. El humo apuntó al sudeste: el castigo del culpable era un hecho.

El calor la aplasta, la desploma sobre la cama de tirantes pero sonríe pensando en el destino trágico de su agresor. Como contrapartida, la desgracia del delincuente será su felicidad. Ambas circunstancias conforman una mezcla inseparable. La vida va a indemnizarla; se lo ha dicho la curandera y, para colmo, el humo lo ratificó.

No sabe cómo o de qué manera... Sin embargo, confía en el anuncio de la adivina que coincide, por suerte, con sus deseos.

La sangre charrúa que corre por sus venas, charrúa y portuguesa, le dice que por ahora hay que esperar, que ya llegará el momento.

No se lamenta por haber sido víctima de un delito, más bien confía en su recuperación. La guía una capacidad rápida para el olvido y un optimismo a prueba de caídas.

Su vivienda es pobre pero limpia. Huele el aroma del jabón que impregna sus sábanas y sus ropas; lástima que se mezcle con el de su aliento a alcohol que también se desparrama en el ambiente.

Repentinamente, un pensamiento la distrae. Camina ha-

138

cia la ventana y mira. Ve el pueblo desierto, los perros echados a la sombra y las grietas que cortan a tajo limpio la tierra seca de las calles. Un viento abrasador recorre las manzanas, las parcelas y las construcciones. Un viento que, lejos de ayudar, provoca la misma pesadez que el vino abundante. Sopor. El cansancio del estío.

Sin embargo, está convencida de que algo sucede; ha comenzado a manifestarse en el aire. Algo que puede llegar a estar bien.

A diez cuadras, María Ceñudo se abanica. Sus movimientos son lánguidos. Tan lentos como dispone el agobio y su espíritu. Su dolor no ha cicatrizado. Quizá no cicatrice nunca. Y el recuerdo de la violación vuelve una y otra vez, con la misma insoportable terquedad con que se levanta tierra cuando apenas sopla un poco de brisa.

Tiene un vestido blanco y suelto que, en contra de su previsión, se adhiere a su torso húmedo. Piensa en el regreso. Añora España. Puán no podría haberla hecho más infeliz. Le ha quitado una posesión valiosa que, según ella, no tiene repuesto.

Sale al patio. La temperatura ardiente ha atacado las plantas. El amarillo poco a poco va invadiendo el verde. Algunas flores sobreviven débiles y torcidas al embate espinoso de los rayos del sol. El clima las asfixia. Y María carga una regadera en el aljibe y rocía las hojas macilentas de las enredaderas. A pesar de su juventud el cuerpo le pesa. Los tobillos se le han hinchado igual que las manos. Siente mareos, de a ratos la atacan las arcadas. Tal vez la ausencia de menstruación no haya sido sólo una casualidad.

Mira hacia la calle. Una carreta con dos caballos viejos se incinera a la intemperie. El olvido o la dejadez de su dueño la condena al infierno de la Pampa. Las sombras se han evaporado; ni siquiera se ven los pájaros. Todo es brasa; brasa y soledad. Un silencio espantoso ha conseguido enmudecer a los animales.

En esa quietud, en esa opresión del verano, su intuición le dice que algo está por suceder o que ha comenzado a tener fuerza. Algo que tal vez desea.

Hermenegilda Zabala Cifuentes descansa. ¿Qué otra cosa podría hacer en un día como hoy?

Ha cerrado los postigos para que la ola sofocante se detenga y no entre a borbotones por las aberturas vidriadas. De todas maneras, sólo conseguirá demorar un poco la entrada del ardor que envuelve la llanura. Por el momento se mantiene quieta, no quiere gastar energías, las necesita para el riguroso trabajo diario.

El negocio está cerrado. Abrirá a las cinco, cuando el tiempo le permita, por lo menos, respirar, o tan sólo moverse.

En la misma pieza en la que se encuentra acostada hay otra cama. Pero está vacía.

Recuerda el momento en que halló el cuerpo de su madre apuñalado, ensangrentado, y un pesar que lacera el pecho le presiona también las sienes. Es mucho más agobiante que el calor.

Debería tratar de olvidar su tragedia. No hace bien pensar todo el tiempo en situaciones que no se pueden revertir.

No se acostumbra a vivir sola. Son cincuenta años de hacer las cosas a dúo. Ahora no tiene con quien hablar. No encuentra con quien discutir ni con quien compartir. Le falta su medio cuerpo, su medio pensamiento. A veces, distraída, prepara la comida para dos. Peor, llama a su madre para que se siente a la mesa, le avisa que el puchero se enfría.

Desde hace días una idea le ronda en la cabeza. Ha escuchado, ha visto, se ha dado cuenta. Sabe.

Y las ideas, si no se traducen en hechos, adelgazan hasta desaparecer. El mejor antídoto para evitarlo es la acción. Por eso, entonces, se levanta como si la empujara un resorte. Antes de que sea demasiado tarde. Antes de lamentar otros daños. Se calza las alpargatas y camina hacia el fuego exterior. Ya no la frena el clima candente, es más, extrañamente siente frío; la piel se le eriza.

Una obstinada decisión la impulsa. Le mueve las piernas y la apura. Sale al patio trasero y esquiva la leña apilada, la madera con que día tras día enciende el horno. Cruza la puerta y gana la calle. Lleva una dirección definida y una determinación que no puede modificarse.

Algo tiene que pasar. No le caben dudas: va a pasar.

Presenta Defensa.

Señor Juez del Crimen:

En mi carácter de Defensor de Pobres en la causa seguida a Belisario Roque Peredo por homicidio de Martiniano Pardo en Puán a Vuestra Señoría respetuosamente digo:

Primero. Que vengo a contestar la vista que se me corriera en estas actuaciones de la acusación del Señor Agente Fiscal. Por los breves fundamentos que expondré se ha de servir el magistrado que interviene en la causa, al dictar sentencia, absolver libremente de culpa y cargo a mi defendido el Señor Belisario Roque Peredo por haber obrado al cometer el hecho de autos amparado en la eximente de LEGÍTIMA DEFENSA *contemplada en el artículo treinta y cuatro inciso sexto del Código Penal. Del estudio detenido de esta causa surge en forma clara, precisa, absoluta e incontrovertible que el procesado, al herir de muerte al agente Martiniano Pardo, lo hizo pura y exclusivamente para salvar su propia vida. No hay ningún otro motivo que lo impulsara a ello. Así se ha acreditado.*

Segundo. Agresión Ilegítima. Es sin duda la llevada a cabo por el agente de policía que, sin orden de detención, sin autorización superior alguna, sin elemento probatorio a su disposición y sin el respectivo conocimiento de la autoridad de la institución que representaba, desenfundó un arma en plena calle y disparó contra mi defendido en ausencia de ra-

142

zón que ameritara tamaña conducta. Todos los testigos oculares están contestes en dicha situación y circunstancias. Basta para cerciorarse simplemente con leer sus respectivas declaraciones de las cuales se desprende con absoluta transparencia que el primero en proceder a la agresión es el hoy fallecido Martiniano Pardo. Me remito a su lectura en honor a la brevedad. Es decir, el funcionario público, sin mediar conducta que lo justificara, extrajo su revólver y disparó contra mi defendido. Recalco el hecho de que hasta ese momento no había denuncias penales en contra de Peredo, no estaba en ese momento cometiendo ningún delito y no había orden de detención emanada de autoridad competente. De manera que al acusado no le queda otro camino que defenderse de la agresión ilegítima del policía.

Tercero. Necesidad Racional del Medio Empleado. En las diversas visitas realizadas por este defensor al procesado tendientes a indagar sobre la forma en que se desarrollaron los hechos que se investigan, primero cuando se encontraba internado en el hospital y luego cuando fue dado de alta y derivado a la Cárcel de Encausados local, Peredo ha contado una historia distinta a la que se presume como cierta, aparentemente insostenible y que fuera la que tanta crispación ha causado en el Fiscal. Sin embargo y dejando de lado su declaración, no quedan dudas, debido al resto de los elementos probatorios reunidos en el expediente, que fue Pardo quien atacó primero. Y lo hizo con el arma en su mano y sin mediar acto alguno de parte de Peredo que pudiera dar motivo a semejante ataque. Lo expresado, reitero, aun cuando no concuerda con lo que ha dicho mi defendido en su indagatoria, está corroborado por los mismos testigos que cita el Se-

143

ñor Agente Fiscal, que son los oculares y están de acuerdo en que el primero que levantó la voz y extrajo el arma fue precisamente el policía hoy muerto. Es pues evidente que el medio empleado por el acusado para repeler la agresión de la que resultaba víctima es perfectamente racional. Más aún, ¿de qué forma procedería cualquier ciudadano común si un policía lo detiene en la calle, saca su arma y comienza a dispararle sin causa alguna que lo justifique? ¿Es normal que un agente del orden se conduzca de esa forma sin existir en su presencia la comisión de un delito u otra conducta criminal que autorice tamaña desmesura? Si a esta conducta contraria a la ley, realizada justamente por quien debe atenerse enérgicamente a ella, se le suma la circunstancia fuera de toda controversia de que en la superioridad policial no había orden de detención alguna contra Peredo ni expediente en trámite que lo vinculara con causa en instrucción, debe concluirse precisamente que lo que hizo Pardo fue, con exactitud, una agresión irracional contra un ciudadano que transitaba en forma pacífica por la vía pública. De modo que, repito, el medio empleado por el acusado para repeler el ataque que sufriera es justo el que prevé la legislación.

Cuarto. Falta de Provocación Suficiente por parte del acusado. De las declaraciones de los testigos a que me he referido precedentemente y de las restantes presunciones que obran en los actuados surge con claridad que este último requisito exigido por la ley también concurre en la ocasión puesto que Peredo no ha querido provocar el altercado. Por el contrario, ha hecho todo lo que se esperaba de un hombre normal. Es decir, se detuvo ante el agente policial, conversó con él y, se supone, accedió a sus exigencias sin reacción al-

144

guna. Sin embargo, finalmente, y ante la irracional agresión del uniformado, no tuvo otra alternativa que extraer su arma y defenderse para evitar ser la víctima del episodio en que se encontró envuelto sin injerencia alguna de su parte y sin causa razonable para verse inmiscuido en ese mismo episodio. Puede, con lo expresado anteriormente, establecerse en forma categórica que concurren la totalidad de los requisitos fijados por la ley para tener a mi defendido amparado en la articulación citada y ser absuelto de culpa y cargo por haber actuado en LEGÍTIMA DEFENSA. *Así lo solicito. Quiera Vuestra Señoría proveer en la forma pedida.* SERÁ JUSTICIA. *Firmado. Doctor Atanasio Bernuncio. Defensor de Pobres.*

De pronto se ha nublado. Una tela transparente y gris que aparece de inmediato en el aire cubre el amarillo y le quita algo de su furia. Sin embargo la temperatura se mantiene alta, sofocante. No hay viento. Tampoco modo alguno de soportar el calor.

El marrón de la calle queda sombreado por las nubes. Ha pasado a ser otro marrón, un poco más oscuro, un poco menos arenoso.

Hermenegilda, concentrada en sus ideas, atraviesa la plaza como si el clima no la molestara, ajena al termómetro. Se apura. Su premura tiene estrecha vinculación con sus planes. No está fatigada a pesar de la caminata rápida en un ambiente que ahoga. Y si lo está, no se ha dado cuenta. El pensamiento preciso que la mantiene en movimiento le provoca una indiferencia exagerada sobre todo lo que la rodea, incluido el sopor.

Acorta la distancia que la separa de su destino a paso firme y decidido; es el mismo andar que emplea dentro de la cuadra, cuando prepara el pan. La empuja un convencimiento extremo que no deja lugar para las dudas. Se trata de una convicción que necesariamente tiene que contagiar.

Huele el aire y sabe que el aguacero se aproxima.

Cuando llega a la casa señorial ve a María Ceñudo en el jardín regando las plantas, mojando una a una las hojas de las enredaderas. No entiende el motivo de la tarea porque el chaparrón está a punto de estallar. De todas maneras, María continúa sin prestar atención. Piensa que la panadera seguirá de largo, en ese domicilio no están acostumbradas a recibir visitas.

Pero allí se detiene y desde la entrada pregunta por Ramona Pedraza; dice que necesita hablar con ella.

Ingresa a la vivienda y conversa con la mujer. Ambas están de pie, frente a la ventana. Cambian opiniones. Hermenegilda insiste, persuade. Cuenta episodios, desgracias, delitos. Narra la charla que ha escuchado. Ata cabos, posee indicios.

De repente miran hacia la calle y observan a Rosaura que camina con esfuerzo, soportando el dolor, en dirección a una de las salidas del pueblo. Es probable que vaya hacia el tambo, o hacia el criadero. No lo saben. Tiene un pañuelo que le cubre la cabeza y unas alpargatas gastadas, casi un deshecho de cáñamo y tela. Está encerrada en su propia aflicción, se le nota. No mira hacia los costados ni hacia atrás. Y, en todo caso, si mirara no vería.

La imagen conmueve a las mujeres que observan a través de la ventana.

Una lluvia fina ha comenzado a caer. Todavía no es copiosa, pero ya lo será. Hace tiempo que se esperaba la tormenta.

Instantes después pasa un peón rural a quien conocen. Ambas sospechan que persigue a Rosaura. Su andar sigiloso y medido no puede encubrir una evidente energía contenida. No le molesta el agua que lo moja. Ni siquiera se toma el trabajo de guarecerse o cubrir su cuerpo de la embestida de las gotas. Tiene los ojos despiertos, movedizos. No pierde detalle de las circunstancias aledañas. Aun así, no consigue ver a Ramona y a Hermenegilda que lo miran desde la casa.

Ahora una cortina de agua intensa, abundante, lo empapa. Pero él sigue caminando como si nada sucediera. No quiere que se le escape la presa.

Un perro le sale al paso y él lo aleja con un puntapié que le da de lleno en el hocico. No tiene tiempo que perder. El animal corre asustado y se esconde debajo de una carreta.

Solicita Juicio Oral.

Señor Juez:

Que en virtud de la enorme cantidad de contradicciones que surgen de las declaraciones de los testigos en contraposición con la indagatoria de mi defendido, entiendo que resulta necesario un debate extenso y un examen riguroso de cada uno de ellos. Por tal motivo y de conformidad a lo dispuesto en la Ley Procesal, vengo a optar por el JUICIO ORAL, única manera de realizar una defensa adecuada a los intereses de mi representado. Será Justicia. Doctor Atanasio Bernuncio. Defensor de Pobres.

149

Martiniano Pardo se encuentra en la esquina de las calles Moreno y Ortúzar, a pocos pasos de la puerta de acceso al Hotel Eslava y escasamente alejado de la Escuela Número Uno y del edificio de Correos y Telégrafos.

Son construcciones de diseño moderno ubicadas en cercanías del terreno donde se eleva la imponente estructura municipal. Y aun cuando su presencia preventiva se concentre en esa zona edilicia, la más importante del pueblo, no son exactamente dichas instituciones ni los propios inmuebles los que debe vigilar. No ha sido convocado por sus superiores para el cuidado que ellas requieren.

Su labor policial está dirigida a personas y no a edificaciones. Es a aquéllas a quienes tiene que proteger. La tarea específica que le han encomendado consiste, y consistirá durante la noche, en garantizar seguridad y tranquilidad a los numerosos concurrentes al Cine Teatro Moreno. Allí se va a desarrollar un baile de gala organizado por la Sociedad Italiana de Socorros Mutuos.

La mayoría de la gente invitada pasará por ese sitio para llegar al salón. Justamente por donde de pie, atento y observador, Pardo examina los alrededores y vela por la integridad de los entusiasmados asistentes.

Se mueve con la jactancia propia de aquellos que están convencidos de tener siempre la razón. Y esa postura, claro, es muy distinta a la actitud que asume cuando está con el comisario o con Peredo, aunque se asemeja ciertamente a la que tiene con Rosaura y con el resto de las personas que sabe indefensas.

Es extraño lo que provoca el poder en la gente. Una misma persona puede comportarse como un brioso alazán o como un deslucido matungo según quien sea el jinete.

Está apostado en esa esquina por orden directa del Comisario Rivarola; un mandato perentorio de su jefe que, preocupado por los acontecimientos recientes, se desespera e intenta amparar a los vecinos. Muy a su pesar, hasta el momento no ha hallado la forma de conseguirlo. Mientras tanto, en las calles siguientes se escalonan ordenados los policías Donato Malaspina, Efraín López y Mariano Rimoldi, todos abocados a la misma actividad de custodia que realiza el propio Pardo.

Los delitos cometidos durante los últimos meses contagian alarma y temor. Los ciudadanos afectados no dejan de protestar y reclamar; es posible que sea una de las formas de encubrir el miedo. Se han encargado de repetir sus quejas una y otra vez ante las distintas autoridades; son críticas que apuntan contra aquellos que participan en las decisiones comunales y en las policiales.

Esas protestas se reiteran con intensidad en la mayoría de los sectores del pueblo, a tal punto que los dos diarios locales, *La Verdad* y *La Prensa*, no cesan de publicar en sus portadas, noticias y opiniones referidas a los robos, las violaciones y el homicidio de Hermenegilda Cifuentes Retamal viuda de Zabala Segovia, la madre de la panadera. Agregan en sus editoriales constantes críticas a lo que llaman una "anodina e ineficaz actuación policial" incapacitada para resolver los problemas que le plantea la catarata de crímenes impunes, los constantes ilícitos que los hombres del orden hasta ahora no han podido controlar.

Rivarola grita, protesta y se enardece en el interior de la comisaría. Lo hace a toda hora y se descarga con cada uno de los agentes que integran la fuerza, con cada uno de los oficiales que investigan los casos aún irresueltos; pero, más allá del enojo y pese a las reprimendas, los intentos de los policías han sido vanos. Esfuerzos inútiles sin resultado positivo.

Lejos de sus objetivos, no aciertan con medidas que puedan conducir hasta los culpables. Ni siquiera consiguieron encontrar pistas que, como mínimo, los enderecen con cierta aproximación hacia los autores materiales o, cuanto menos, hasta sus cómplices o encubridores. Nada de nada. Ni rastros de los delincuentes.

"Manga de inútiles", suele gritarles a sus subordinados cuando lo apresa la bronca y la impotencia.

"Inservibles", "ineptos", vocifera entre las paredes del edificio policial.

El desconcierto les quita orientación y, por causas que desconocen, les resulta imposible acertar con un rumbo, tan siquiera, alentador. La desaprobación general crece en la misma enorme proporción en que se consuman los delitos, y pareciera que no hay forma de encontrar respuestas.

El baile de gala, al que concurrirán el intendente, los miembros del Concejo Deliberante, los de la comisión del grupo organizador, los de la Sociedad Española y Francesa, los representantes del Club Social, los integrantes de las Colonias Santa Rosa y El Pincén, el sacerdote de la Capilla

152

San Pedro, el director del Hospital Municipal, los miembros del Centro Juventud Unida y el resto de los comerciantes y hacendados de la región, no deja de ser una gran oportunidad para que Martiniano Pardo y Belisario Peredo vayan tras el lucro ilegítimo que los une y los impulsa. Tras esa ganancia deshonesta que precisamente estaban esperando con ansiedad, con la sed de los ambiciosos. Es codicia que se transforma en vicio incontenible.

Belisario Roque Peredo podrá trabajar con tiempo, suelto, con holgura. Y hasta es probable que mientras se realiza la reunión social, tenga la posibilidad de entrar en dos o tres domicilios, tal vez en más si la suerte o su experiencia lo acompañan. La noche se convertirá en una ocasión especial para conseguir un botín extraordinario; uno como nunca antes había tenido ocasión de obtener.

El dinero fácil y abundante que han cosechado en los últimos meses les sirve de aliciente. Actúa como un motor que los empuja al riesgo, a una actividad, si bien prohibida, asombrosamente redituable. A la postre, lo que hace es fomentarles la decisión de encarar las mismas acciones clandestinas a pesar al peligro de ser atrapados y, por ende, condenados.

Ambiciosos, se mueven con verdadera alienación. Dilatada su apetencia, no van a dejar pasar esta oportunidad única que aparece, como todas las ocasiones especiales, disfrazada de sencillez.

Martiniano Pardo ya le ha transmitido a Belisario Peredo los datos necesarios como para que se maneje con serenidad y pueda elegir entre las múltiples viviendas que quedarán vacías en medio de la celebración.

Poco a poco van llegando los invitados al salón donde tendrá lugar el baile de gala. A su paso, el policía los saluda con respeto, seriamente, pero también con un dejo de cordialidad. No es bueno que se vea completamente risueño ni tampoco con una parquedad chocante, rayana con el mal genio. Ningún extremo es acertado cuando se trata de ganar la confianza ajena. Por eso, de vez en cuando hace la venia para demostrar cortesía con alguna autoridad política o inclina la cabeza con amabilidad hacia las damas convidadas. Y en los ratos en que no cruza nadie, se distrae y sonríe al imaginar a Belisario preparándose para el golpe esperado, cerrando los detalles que le servirán de guía en su derrotero nocturno. Un beneficio exagerado los espera, y Pardo tiene la torpeza de creer que es merecido.

Quizá sea el último golpe. Quizá, después de este veinticinco de febrero de mil novecientos dieciséis, pida el pase a otra comisaría de la provincia para iniciar la misma búsqueda ilegal en un sitio desconocido, en un ámbito distinto. Y debe hacerlo antes de que aparezcan evidencias que lo involucren o antes de que comiencen las sospechas en su contra.

Sus colegas y la gente están alertas. Ya no es el mismo pueblo; el margen de soltura con el que se movía se ha achicado. Repentinamente se da cuenta de que el vecindario le queda chico, escaso a sus anhelos excesivos. Se le antoja una aventura peligrosa seguir tentando a la suerte. No debe arriesgar si no quiere terminar en la cárcel.

Ya ha ahorrado suficiente, y con seguridad en nuevas geografías encontrará otros cómplices dispuestos a conseguir ganancias fuera de la ley, dinero mal habido al alcance de su mano extendida. Tiene que irse, es el momento oportuno. Así lo piensa y así lo ha decidido.

De pronto, cuando nada parecía indicarlo, se produce un hecho que lo sorprende y lo encierra en una inusitada perplejidad. Un estado de sobresalto singular. Entre los concurrentes ve cruzar, ataviada de acuerdo a la ocasión, a una mujer rubia, alta, de tez blanca, muy blanca, que él se demora unos segundos en reconocer. La ropa diferente y el contexto antagónico suelen enredar la memoria. Cualquiera sabe que eso es normal, cualquiera sabe que modificado el escenario y el atuendo las facciones no tardan en cambiar.

Pero esa duda que le ocasiona el retraso en el reconocimiento, instantes después, se convierte en incertidumbre que lo persigue y lo acosa, que lo irrita y lo atemoriza por igual. Busca sin pausa. Insiste, se esfuerza. Confía en su mente alerta que lo va a ayudar, y por fin cuando lo hace, de pronto descubre con incredulidad el motivo de su malestar. Lo descubre con la nitidez necesaria como para no volver a olvidar.

Se trata de la prostituta alemana que trabaja en un burdel del pueblo de Bordenave. La misma que él ha agredido con violencia junto a Belisario Roque Peredo en una de esas noches en que el alcohol mezclado con el deseo por su cómplice lo hicieron arriesgar en exceso, lo expusieron a consecuencias inciertas.

Entonces, en una conducta casi infantil, intenta pasar desapercibido para que sea ella quien no lo reconozca. Mira hacia otro punto, pretende darse vuelta, desentenderse, aunque ya la mujer viene a su encuentro con una sonrisa adherida a sus facciones, con tanta convicción que pensar en un ocultamiento sería poco menos que una quimera.

Con pleno dominio de sí misma se acerca y le dice algo suave al oído, algo que Pardo no puede entender porque ha sido pronunciado en alemán, en un idioma que él jamás ha escuchado.

Intuye la amenaza. No sabe por qué, pero está seguro de que ha sido amenazado o, peor aún, sentenciado con un pronunciamiento definitivo. Después la ve alejarse con la misma serenidad con que había llegado.

El incidente lo pone nervioso. Le produce cierta desconfianza que lo asusta y lo altera a la vez. Y esa misma desconfianza le hace perder la calma. ¿Qué habrá querido decirle? ¿Por qué sonreía? Pero no encuentra respuestas razonables. Nada que lo satisfaga de inmediato.

Y en medio de esa intranquilidad ve pasar a su lado a Angélica Vitángeli de Serenelli que también, en términos cordiales, le dispara una frase en italiano. Una simple y certera comunión de palabras para él incomprensibles que intenta descifrar, por supuesto, sin éxito. No las ha llegado a entender, pero nuevamente supone que está frente a una advertencia concluyente, un golpe a su confianza extrema, a esa petulancia que ahora va perdiendo terreno con velocidad.

Luego es doña Ramona Pedraza la que camina acompañada de María Ceñudo. Y aun cuando lo saludan con discreción, el policía presume en sus miradas lo peor. Se siente descubierto sin que nada sustancial se lo demuestre, sin que algo le revele que ha sido desenmascarado. Desnudo y sin poder ocultar las manchas indecorosas que le recorren el cuerpo.

156

Tal vez sea sólo su imaginación. Eso es lo que piensa. O eso es lo que se obliga a pensar para recuperar el sosiego. Pero está visto que sus nervios no se lo van a permitir. Le juegan una mala pasada en esta noche despejada y agradable. Se propone olvidar el asunto, pero sólo se lo propone...

Ahora es Hermenegilda Zabala Cifuentes la que lo mira con cierto desdén. Algo extraño en sus ojos lo acusa y él debe contenerse para no sentir que su rostro confiesa, que su voz confiesa, que sus entrañas lo sindican como el culpable de la muerte de su madre.

Sabe que debe calmarse. Puede ser apenas su imaginación la que le hace divisar vistazos acusadores. Son mujeres de las que tal vez se han escapado unos saludos inocentes. Soy yo y no ellas, se dice. Son conjeturas propias. Tengo que sacarlas de mi cabeza. Nadie me ha descubierto, repite para sí. Trata de convencerse. Aunque a estas alturas y con el cerebro trabajando sin pausa, difícilmente lo logre.

Debería ir a buscar a Belisario y decirle que no haga nada, al menos esta noche, que espere nuevas oportunidades, otras ocasiones sin presunciones en contra rondando en el ambiente. Debería correr, encontrarlo y explicarle que están a punto de ser aprehendidos. Intuye que alguna novedad se ha filtrado entre los vecinos, o entre ciertos vecinos.

Debería hacerlo, tendría que hacerlo. Pero no puede abandonar la guardia. No puede. El comisario lo reprendería.

Expediente Judicial número diez mil treinta. Homicidio y Lesiones Gravísimas. Veredicto dictado por la Excelentísima Cámara de Apelaciones. Bahía Blanca, Provincia de Buenos Aires, a veintisiete días del mes de noviembre de mil novecientos dieciséis. Reunido el Tribunal en su sala de acuerdos a los fines de dictar veredicto en la causa seguida a Belisario Roque Peredo por homicidio de Martiniano Pardo en Puán, una vez realizado el pertinente debate oral, se procede a verificar el sorteo dispuesto en la ley para el orden en que deben votar los magistrados. Se transcribe el pronunciamiento para este caso, resolviéndose plantear previamente las siguientes cuestiones:

Primera. ¿Está probado que en la noche del veintiséis de febrero del año en curso fuera asesinado con arma de fuego el agente de policía Martiniano Pardo?

Segunda. ¿Lo está que el nombrado falleciera a consecuencia de las heridas recibidas?

Tercera. ¿Lo está que fuera autor del hecho el procesado Belisario Roque Peredo?

Cuarta. ¿Lo está que mediara agresión ilegítima por parte de la víctima?

Quinta. ¿El acusado actuó en legítima defensa?

Sexta. ¿Concurren atenuantes o agravantes?

Séptima. ¿Qué veredicto corresponde dictar?

Votación. A la primera cuestión el Señor Juez dijo: Por lo que resulta de la prueba producida en el curso de la instrucción y en el de los debates orales que instruyen las actas precedentes, doy mi voto por la afirmativa por ser ésta mi convicción sincera. Los restantes Señores Jueces por igual fundamento votaron en el mismo sentido.

A la segunda cuestión el Señor Juez dijo: Teniendo presente lo que resulta del informe médico, autopsia, partida de defunción y pericias balísticas, voto por la afirmativa, por ser mi convicción sincera. La víctima falleció a consecuencia de la lesión recibida con el arma de fuego. Los restantes Señores Jueces por iguales fundamentos y por ser sus convicciones sinceras votaron en el mismo sentido.

A la tercera cuestión el Señor Juez dijo: Atento lo que resulta de las declaraciones testimoniales que se recibieran en un primer momento en la Comisaría de Puán, luego ratificadas ante el Juez del Crimen de Primera Instancia y, finalmente, en el debate oral llevado a cabo en la audiencia correspondiente, las que resultan contestes y contundentes, no me quedan dudas de que el autor de los disparos que dieran muerte al agente Martiniano Pardo fue el acusado Belisario Roque Peredo. En consecuencia, voto por la afirmativa por ser ésa mi convicción sincera. Los Señores Jueces integrantes del Tribunal votaron en el mismo sentido.

A la cuarta cuestión el Señor Juez dijo: Que no existen pruebas en el expediente que me lleven a pensar que hubo una agresión ilegítima por parte del policía. Por el contrario, en atención a las conversaciones que, según indican los testigos, primero se desarrollaron en términos normales y luego fueron encrespándose, elevando las voces, considero que se trataba de una detención a la cual se encuentran autorizados los agentes del orden y que luego diera lugar a la trifulca que terminó con la vida de Pardo. Doy mi voto por la negativa por ser ésa mi convicción sincera. Los Señores Jueces adhieren a la respuesta precedente.

A la quinta cuestión el Señor Juez dijo: Que de acuerdo con la forma en que se ha respondido a la pregunta precedente debo concluir que el acusado no actuó en legítima defensa resultando inaplicable la eximente a que alude el artículo treinta y cuatro inciso sexto del Código Penal, por ser ésa mi convicción sincera. Los restantes Jueces adhieren al voto que precede.

A la sexta cuestión el Señor Juez dijo: Que no concurren circunstancias atenuantes en virtud de la peligrosidad evidente que emerge de la conducta del acusado ya que se encuentra sospechado en otras causas de ser autor responsable de una serie de delitos que se investigan en expedientes separados y por las cuales seguramente estaba siendo detenido en el momento en que se produjo el homicidio que se analiza en estas actuaciones. Asimismo, y no habiendo recaído sentencia definitiva en ninguno de esos procesos, considero que tampoco deben mediar circunstancias agravantes al tiempo de sentenciar. En tal sentido doy mi voto por la negativa por ser ésa mi convicción sincera. Los restantes magistrados se adhieren a dicha conclusión.

A la séptima cuestión el Señor Juez dijo: Corresponde dictar veredicto de culpabilidad, declarando que el procesado Belisario Roque Peredo es autor responsable del hecho referido en la primera cuestión. Tal es mi convicción por lo que así lo voto. Los Señores Jueces, por iguales fundamentos votaron en el mismo sentido. Con lo que terminó este acuerdo y firmaron los magistrados intervinientes.

Las cuatro mujeres se levantan después del mediodía. Sin embargo, a pesar del reposo prolongado, todavía están exhaustas. Han trabajado sin descanso durante la noche; las pausas en esa actividad no suelen ser habituales. Debieron soportar el paso constante de los hombres, la procesión interminable de alpargatas que incluye la labor de la alegría simulada, la bajada de los pantalones y el servicio integral.

En algunos casos tuvieron que escuchar historias plomizas, vanas, aburridas; varias declaraciones de principios de quienes pretenden esconder con palabras ciertos desvíos y, como si fuera poco, un reguero de justificaciones morales. Es mucho. Es demasiado. Aunque, después de todo, saben de antemano que es parte del trabajo, un agregado, y además, mientras escuchan, distraídas por supuesto, aprovechan para recuperarse antes de que ingrese el próximo cliente.

Tres de ellas se parecen entre sí. La cuarta no. Ni siquiera habla el mismo idioma. Pero por lo menos ya ha aprendido a preparar mate. Ésa es la única similitud.

Las primeras tienen rasgos en común: son morochas, con caderas anchas, de piel oscura y les faltan algunos dientes. En cambio ella luce una dentadura perfecta, es notablemente más alta que las otras y los tonos claros dominan su cuerpo, el cabello y los ojos.

El calor las obliga a andar por la casa con poca ropa,

162

apenas lo indispensable para tapar un pudor que no existe. Margarita Weissmüller extrae de una bolsa dos puñados de maíz. Sale al patio cansinamente y empieza a arrojar al suelo las semillas apiñadas en sus manos. Las gallinas se acercan y picotean. Hay gansos y varios pavos que con su rigidez natural se demoran un poco antes de darle libertad a su deseo de alimento. La imagen de la mujer, para una mirada superficial, denota ternura, mansedumbre. A no equivocarse, dos de esas aves serán el almuerzo y parte de la cena.

No es la encargada de cocinar. No sabe hacerlo. De cualquier manera se ve obligada a prestar su colaboración. Degollar y desplumar son las tareas que le han encomendado.

Sin embargo, ella no estará en la última de las comidas, debe ir a Puán. Allí la esperan.

Le resulta difícil adaptarse a la monotonía y a la tranquilidad de Bordenave. Todavía no se ha acostumbrado, después de todo la diferencia que encuentra en la comparación con Hamburgo es enorme. Quizá lo correcto sería decir que se trata de sitios incomparables. No hay relación entre la cantidad de habitantes, en la urbanización, en la historia, en los edificios, en los medios de circulación ni en la gente. La distancia es tan grande que no descubre siquiera puntos de contacto. La casa donde vive también es distinta, mucho más precaria, sin las comodidades que allá, por lo menos, usufructuaba. Los hombres aquí son más brutos, incluso la mayoría no sabe leer ni escribir. Entonces ¿qué ganó con el cambio?

Va hasta el gallinero y agarra media docena de huevos, después corta de una pequeña huerta casera varias hojas de acelga y arranca unos tomates. Ingresa otra vez a la cocina y los deja sobre la mesada de madera.

¿Qué ganó? En apariencia está peor.

Luego se dirige lentamente hasta su dormitorio y de la mesa de luz extrae un documento rectangular, blanco, escrito con letra imprenta, de inocultable categoría. No sabe lo que dicen las palabras insertas en él, pero sí para qué sirven. Es una tarjeta de invitación, así le han explicado, o por lo menos es lo que ha entendido. Se trata de un baile de gala que organiza la Sociedad Italiana y que se celebrará esta noche en el Cine Teatro Moreno de Puán.

De pronto, casi inconscientemente, comienza a darse cuenta de algunas virtudes de ese cambio. ¿Quién, en su Alemania natal, la hubiera invitado a un baile de gala? Alguien le dijo que América era una tierra de grandes posibilidades. Tal vez sea cierto. Tal vez no sea sólo un lugar donde esconderse.

Para ir a la fiesta cuenta con el permiso de los dueños del prostíbulo. Se lo tiene merecido; gracias a su integración al plantel de trabajadoras nocturnas las ganancias han llegado a ser exorbitantes, impensadas poco tiempo atrás. No podían negárselo.

Por primera vez en su vida tiene al alcance la alternativa de abandonar el oficio para dedicar su vida a alguna otra actividad menos intensa, más ociosa, incluso más higiénica. Piensa que hoy a la noche puede conocer gente decidida a ayudarla, a acompañarla; y hasta pareciera que desde la simplicidad de una tarjeta de invitación se desprendieran sueños propios que ya creía consumidos, aletargados. Sin embargo estaban allí, esperando la oportunidad para

164

renacer. Poco a poco empieza a disfrutar de su nuevo destino que minutos antes le había parecido en declive, o cuanto menos, indiferente.

En un instante, como si un sopapo inesperado la devolviera a la realidad, se da cuenta de su reciente candidez. La confundió un pensamiento que poseía la inocencia superficial de la ingenuidad. Sabe bien que no podría ejercer ningún otro oficio fuera de la prostitución: no conoce un modo distinto de vivir. Ni siquiera se lo imagina. Aunque quizá tendría posibilidades de progreso abriendo una casa de citas en donde ella fuera la dueña y no el último eslabón sacrificado en la cadena del burdel. ¿Por qué renunciar a la experiencia y al conocimiento de los secretos de la actividad? ¿Por qué dilapidar sus años de entrenamiento?

Aleja por el momento esas ideas que la turban y vuelve a mirar la tarjeta. Dos señoras a las que nunca había visto y que aparecieron de sorpresa en la vivienda le han traído el convite. Se esforzaron en la intimidad para que entendiera los motivos que las impulsaban. Hablaron, hicieron señas, derrocharon argumentos. Y ella, claro, finalmente ha comprendido. Y además de hacerlo, su sangre germana le indica que está frente al camino adecuado, justo el sendero que anhelaba.

Verá gente más educada de la que ha visto hasta ahora, compartirá la noche con personas influyentes, bailará, quizá pueda, después de tanto tiempo, sonreír sin tener que simular. Eso sí, nada es gratis en la vida. Aun así, no se intimida. A esta altura nadie puede intimidarla.

Se impacienta mientras aguarda el momento de emprender el viaje hacia Puán.

*Bahía Blanca, Provincia de Buenos Aires, a veintisiete días
del mes de noviembre de mil novecientos dieciséis. Reunido
el Tribunal en su sala de acuerdos a los fines de dictar la sentencia en esta misma causa seguida contra Belisario Roque
Peredo y ya dictado el veredicto que instruye el acta previa,
con el mismo orden de votación que se ha seguido en el acto
procesal referido se resuelve plantear y votar las siguientes
cuestiones:*

*Primera: ¿Qué calificación corresponde al hecho imputado a
Belisario Roque Peredo?*
   Segunda. ¿Qué sentencia debe dictarse en definitiva?

*A la primera cuestión el Señor Juez dijo: Con arreglo a las
conclusiones a que se arribó en el veredicto, entiendo que la
calificación que merece el hecho juzgado es la de homicidio
simple en los términos del artículo setenta y nueve del Código Penal. Los Señores Jueces integrantes del Tribunal se adhieren a la calificación realizada por el Juez preopinante.*

*A la segunda cuestión dijo: Corresponde imponer a Belisa-
rio Roque Peredo la pena de DIECIOCHO AÑOS de prisión con
más accesorias y costas procesales. Se recibe la pertinente
adhesión del resto de los magistrados. Con lo que terminó*

este acuerdo firmando por ante mí, Secretario autorizante,
de lo que doy fe. Es copia de su original que corre al folio
diez del libro de sentencias criminales de este Tribunal.

Puán. Veintiséis de febrero de mil novecientos dieciséis. Diecinueve horas diez minutos.

Ramona Pedraza es española, en rigor, andaluza. Tiene setenta años de edad aunque parece de varios más debido a una artrosis rebelde que le afecta sus articulaciones. De estado civil viuda, ha tenido una sola hija que ya no vive con ella; esporádicamente la visita en las navidades. Se ocupa de las tareas del hogar que a veces mezcla con la lectura de los clásicos y de la Biblia. Generalmente no sale de su casa, pero hoy romperá la regla. Es instruida, tiene título de maestra superiora aunque nunca ha ejercido la docencia. Es rentista; arrienda unas cuantas hectáreas que su finado esposo le ha dejado de herencia. Se domicilia en el pueblo de Puán, en la esquina de las calles Rivadavia y Humberto Primero.

Le ordena a María Ceñudo, su criada, que vaya hasta el galpón del fondo de su casa y le alcance un objeto que se encuentra envuelto en un trapo color azul. Aclara que está escondido en el lateral de un cajón, el segundo de la derecha del armario desvencijado, detrás de unas herramientas en desuso.

María Ceñudo también es española. Ha nacido cerca de Orihuela, a orillas del río Segura, en Alicante. Es soltera pero no ha podido conservar su virginidad para el matrimonio como ella había planeado. Tiene veintiún años y una figura que denota justamente esa edad. Es empleada, y a pesar de la realización de agotadoras tareas domésticas, siempre huele a rosas, a jazmines, a juventud. El cabello negro que generalmente luce atado a la nuca, a veces suele caérsele dócilmente sobre los hombros. En el último tiempo ha ganado en languidez, sus movimientos son más lentos y su andar más triste. Está embarazada. Sabe leer y escribir y se domicilia en el pueblo de Puán, en la casa de su patrona.

Camina en la dirección indicada y se retira de la habitación luego de cruzar la puerta de la cocina que da al patio. Instantes después regresa con el envoltorio sostenido con sus palmas. Deja el paquete encima de la mesa para que Ramona Pedraza lo destape, para que se tome el tiempo arbitrario que necesite en esa tarea.

Doña Ramona corre la tela con sumo cuidado. Aferra cada extremo con lentitud, cada vértice del lienzo con la misma prolijidad que usaría si estuviese doblando una prenda fina para guardarla en el ropero. Su atildada concentración en ese hecho simple demuestra una voluntad rigurosa que la conduce en sus actos con suma precisión, con tanta como resulta necesaria para realizar la tarea en la cual está empeñada.

De acuerdo con lo esperado, debajo del paño aparece un arma. Es un revólver que pertenecía a su esposo, marca Goliat, calibre treinta y ocho, cuyo número de identificación es el 14951. Después de examinarlo brevemente, destraba el seguro y carga su tambor con las balas que corresponden, con los proyectiles que encuentra también envueltos en el mismo género azul. Entonces sí, con su mano hábil y enguantada, lo guarda en una cartera cuyas correas de inmediato penden de su hombro.

Ambas mujeres salen de la vivienda y caminan con decisión hacia el domicilio de Angélica Vitángeli de Serenelli.

Puán. Veintiséis de febrero de mil novecientos dieciséis. Diecinueve horas y treinta minutos.

Margarita Weissmüller es alemana, de la zona sur de Hamburgo. Tiene veinticuatro años de edad y ejerce una profesión añeja. Ésa es su única actividad, por ahora. Nunca supo hacer tortas ni confituras; mucho menos cocinar. Sólo sabe de sexo, en eso es una experta. El idioma castellano le es totalmente desconocido. No puede darse a entender por escrito en esa lengua. Es alta, su cabello es rubio y la cubre por completo una piel blanca como la leche. Tiene los ojos azules, aunque el color no es lo más importante, en ellos se descubren los años de malas experiencias. Se domicilia actualmente en el pueblo de Bordenave, partido de Puán, en una casa cuya puerta de acceso está iluminada por una lámpara roja.

Margarita golpea con fuerza la puerta del negocio de panadería de Hermenegilda Zabala Cifuentes cerrado a esa hora de la noche. Es la misma dueña quien la atiende. Hace rato que la espera. Hoy, sabiendo de las ocupaciones que la aguardaban, ha adelantado sus labores en la cuadra. De modo que puede tomarse un poco de su atareado tiempo para hacer lo que tenía previsto, para cumplir con la parte que le corresponde en el desarrollo del plan.

Ambas mujeres se saludan y rápidamente se ponen en camino hacia el domicilio de Rosaura Collazo Uribe de Pardo.

Puán. Veintiséis de febrero de mil novecientos dieciséis. Diecinueve horas, cincuenta y cinco minutos.

Dionisia Medina es uruguaya. De casualidad ha nacido en Paysandú. El azar quiso que su madre brasilera estuviera allí en el momento de la concepción y en el del parto. Ya tiene treinta y cuatro años y no por eso es menos analfabeta que durante la niñez o la adolescencia. Está empleada en tareas domésticas. Es ágil y musculosa, aun cuando toma vino en abundancia. Le gusta el juego. Sus placeres, los de la carne, son simples y naturales, y generalmente no los deja pasar. Tiene un rancho humilde pero limpio y sus paredes han sido blanqueadas a la cal. Se domicilia desde hace quince años en el pueblo de Puán, partido del mismo nombre.

Se dirige con resolución por un camino vecinal hacia la zona de los ranchos. Trota. Corre. Se mueve con velocidad. Transpira. Pero no le importa, está acostumbrada a esos esfuerzos, para ella no son nada del otro mundo. De a ratos detiene su marcha acelerada y continúa caminando hasta recuperar el aire perdido; cuando lo logra, otra vez vuelve a correr, vuelve a la marcha ligera, al trabajo de sus fibras musculares.

La tierra y el polvo que levanta con el choque seco de sus alpargatas en la huella pelada de pastos poco a poco se van adhiriendo a su ropa, a su piel mate húmeda por el ejercicio.

Sus poros destilan el vino que ha tomado antes de salir. Respira con dificultad debido al cansancio, debido a la agitación de la carrera prolongada. Pero eso no le dificultará la concreción del resultado que se ha propuesto. Y menos el arribo a destino.

Escasos treinta minutos tarda en llegar desde su casa en el pueblo hasta el lugar donde finaliza su derrotero: una zona pobre donde sobra mugre y falta orden.

El rancho no tiene puerta. Apenas una tela colgada que, en los días sin viento, tapa el interior de la vivienda. Con los nudillos golpea sobre un tirante para que la atiendan, aunque ya los perros han hecho tanto alboroto que ni siquiera se precisaba una tarea nimia como la que ha realizado para conseguir llamar la atención de los moradores.

Indalecio Luis Zaldívar sale a su encuentro. La recibe y la hace pasar. Conversa con ella mientras continúa con sus tareas de curación. Arroja agua sobre un trapo con el cual limpia y alivia las heridas en la espalda de su hijo que yace boca abajo sobre un catre destartalado. Son las mismas heridas que le han provocado los rebencazos bestiales de Martiniano Pardo, la saña de un demente.

Dionisia hace lo que vino a hacer. Deja su encargo a Indalecio: deberá avisarle a su vecino Belisario Roque Peredo que ella lo espera a las diez en el pueblo, en la esquina que forman las calles General Lavalle y Laprida. Luego se despide y comienza a desandar la huella. Y lo hace de la misma forma en que ha venido: trota, corre, transpira...

Puán. Veintiséis de febrero de mil novecientos dieciséis. Veinte horas diez minutos.

172

Rosaura Collazo Uribe nació en Villarrica, Guairá, al sur de Paraguay. Tiene treinta años de los cuales ha perdido doce al lado de su esposo. Es instruida y dócil. Tal vez demasiado dócil. Se ocupa de los quehaceres del hogar. Sus pies están envueltos con alpargatas hechas trizas y su marido considera que todavía no es tiempo de recambio. En algún momento supo lo que era la amabilidad de un hombre, pero ya lo ha olvidado. Ni siquiera recuerda cómo era vivir sin la tortura de los golpes. Está casada con Martiniano Pardo y, por ahora, se domicilia en el pueblo de Puán, partido del mismo nombre.

Rosaura Collazo Uribe ha salido de su casa y ya no volverá. Por lo menos no lo hará mientras su esposo permanezca allí. No piensa compartir más un techo con él.

El miedo y el dolor han superado con creces su tolerancia al castigo y su resignación al dominio. Está sola, pero espera frente a la estación del ferrocarril a las mujeres que de un momento a otro aparecerán. Así lo desea. Es su única y última oportunidad.

Se encuentra a unos cuarenta metros del galpón donde se acopian cereales y a unos cincuenta de su propia vivienda. Muy cerca y muy lejos según sea una fuga o una rebelión de su ánimo malherido.

De pronto, tal como ansiaba, las ve llegar. Margarita y Hermenegilda, a toda prisa, recorren el andén y luego cruzan en diagonal para encontrarse con ella. Sin decir palabras Rosaura le entrega la llave a la panadera. Es todo lo que podía hacer. Pedirle alguna otra tarea hubiera sido un exceso, una actividad de imposible realización para un temperamento tan agredido como deprimido.

Puán. Veintiséis de febrero de mil novecientos dieciséis. Veinte horas quince minutos.

Hermenegilda Zabala Cifuentes es chilena, de Temuco. Soltera por propia decisión. Instruida a medias. Acaba de cumplir cincuenta años de edad y tiene una profesión poco común para una mujer: es panadera. Por sus brazos surcan fibras visibles, consecuencia de un esfuerzo tan intenso como sostenido. Aunque ahora vive sola, a veces, por distracción, cocina para dos. Le gusta su trabajo, no tanto por el negocio, sino por el servicio. Se alegra cuando ponderan sus productos y, en esos casos, extrañamente se siente en deuda con sus clientes. Sin ayuda carga la leña, sin ayuda amasa, y sin ayuda levanta las tablas. Si bien la coquetería excesiva no es su estilo, es probable que la ausencia de canas y el tono renegrido de su cabello se deba al uso de tinturas. Se domicilia en Puán y a pesar de su desgracia reciente no piensa mudarse. Ha encontrado su lugar y no va a dejar que se lo arrebaten.

Camina con mucho temor aunque no exenta de una fuerte determinación hacia el domicilio que le han señalado. Sabe que lo importante no es ser valiente, sino actuar como si lo fuera: la diferencia es una ambigüedad.

A medida que se acerca sus sensaciones van cambiando. Su valor de ayer no tiene nada que ver con el miedo de hoy. Lo que parecía fácil observado a partir de la idea, de pronto, en los hechos, se ha convertido en una acción de difícil consumación. Las impresiones se modifican ni bien se modifica el escenario, lo cual demuestra la enorme diferencia entre el pensar y el hacer.

Cuando llega a la casa de Rosaura Collazo Uribe siente que su respiración se ha agitado más de la cuenta y que su corazón palpita desbocado por el pánico que la ha invadido. Le cuesta llevar a cabo lo que tenía previsto. Le cuesta traducir a la realidad una conducta que en su mente parecía sencilla. Sin embargo no se detiene. Coloca la llave con enorme cautela en la cerradura y la hace girar hacia la izquierda hasta que llega al tope. Ante la presión de sus dedos, el picaporte cede y le permite la entrada.

Camina en puntas de pie. No puede hacer ruido porque el plan podría truncarse. Aunque el propósito ahora es lo de menos, lo que importa de pronto es su integridad amenazada.

Martiniano Pardo duerme, ronca. Ha estado de guardia durante toda la noche anterior frente al Cine Teatro Moreno y a la mañana ha tenido que revisar expedientes a pedido del comisario. De modo que difícilmente se despierte antes de que otra vez le toque comenzar su ronda nocturna.

Hermenegilda ve la cartuchera sobre la mesa y el revólver Colt treinta y ocho en el interior, a su alcance. Sólo tiene que tomarlo, dejar la nota que trae preparada y retirarse. Sólo eso. Apenas eso. Pero sus manos tiemblan. Sus piernas no responden con seguridad y sus dientes, a pesar del calor, han comenzado a castañetear.

Teme tropezar, arrastrar una silla o simplemente derribar algún objeto. Cualquier ruido podría despertar a Pardo. Y ése sería el fin. Por lo menos el fin de su actividad. Tal vez, el derrumbe del intento.

Está a tres metros del arma pero parecen cien, o más. A

medida que transcurren los instantes sin movimiento daría la impresión de que el revólver se alejara. Entonces se decide y da un paso dubitativo, con esa aprehensión que siempre produce la falta de confianza. La suela de su zapato roza involuntariamente el piso provocando un chirrido agudo que adquiere sustancia por el silencio que envuelve la casa. Se queda inmóvil un segundo mientras sus ojos, por la apertura inconsciente de los párpados, han alcanzado un tamaño desmesurado, el que siempre provoca el espanto. Transmiten todo ese terror que brota de un cuerpo asustado.

Sin embargo, a su derecha, Pardo no ha escuchado nada. Su ronquido sonoro es una prueba irrefutable.

En un atisbo de lucidez se da cuenta de que si quiere realizar con éxito su tarea no debe apurarse. Tiene que actuar con lentitud, es la única manera de evitar las equivocaciones. A partir de ese convencimiento, poco a poco va dominando la situación. Apoya su mano izquierda sobre el pecho para que los botones de su blusa no golpeen contra la mesa cuando se incline a recoger el arma. Levanta cada pie lo suficiente como para no arrastrarlo y comienza a respirar con mayor calma porque hasta la exhalación podría descubrir su presencia furtiva. Llega hasta el sitio donde se encuentra la cartuchera y extrae el revólver con precaución, haciendo las pausas necesarias. Se maneja con parsimonia.

Una vez que lo tiene en su mano comprende que ya no sería tan grave que el policía se despertara. En todo caso, lo peor que podría pasarle es verse obligada a usarlo.

Enseguida deja la nota en la cual su esposa lo cita a las

diez en una esquina de Puán. Y despacio, muy despacio, emprende la huida de esa casa que la aterra.

Puán. Veintiséis de febrero de mil novecientos dieciséis. Veintidós horas diez minutos.

Angélica Vitángeli de Serenelli tiene sangre italiana en sus venas, restos de pomada para calzado en sus manos y tierra puanense en sus pies. Cuarenta y cuatro años de edad que no han pasado en vano. Es instruida y está casada. Ama a su esposo. Pero él ignora lo que ella va a hacer. Por herencia peninsular suele ser muy demostrativa. Se ríe intensamente cuando algo la alegra y llora con desconsuelo si las cosas le salen mal. Tiene el carácter contagioso y cinco hijos ruidosos. Le dicen "gringa", "tana", y el apodo lejos de afectar, la enorgullece. Es una luchadora y no va a dejarse amedrentar por un robo, menos aún por unos violadores y asesinos. Se ocupa de la venta al público de zapatos en el negocio familiar. Su domicilio hace esquina entre las calles Laprida y General Lavalle en el pueblo de Puán, partido del mismo nombre, Provincia de Buenos Aires.

Angélica, presa de un nerviosismo inusual, mira por la ventana de su casa hacia el exterior. Se refriega las manos transpiradas; de tanto en tanto muerde las puntas de sus uñas y las corta. No puede dejar de mover sus pies que dibujan rayas invisibles en el piso de madera.

Mujer de trabajo, de paz, de intenciones honestas, no está preparada para estos trances. Ninguna lo está. A su lado, Margarita Weissmüller, Hermenegilda Zabala Cifuentes, Rosaura Collazo Uribe, Dionisia Medina, Ramona Pedraza y

María Ceñudo miran en la misma dirección. Un silencio pesado las aplasta. De todas maneras, no hay nada que decir. O a lo sumo, todo está dicho.

Víctimas de tragedias y de un miedo común que las une se mantienen alertas, a la espera de sus invitados. Violadas, golpeadas, robadas y amenazadas, llevan en su cuerpo y en su mente las firmas indelebles del policía y el ladrón.

Puán. Veintiséis de febrero de mil novecientos dieciséis. Veintidós horas quince minutos.

Los hombres llegan casi a un mismo tiempo. Se sorprenden. No pensaban encontrarse en la esquina donde habitualmente dividen los botines. Ni siquiera alcanzan a pronunciar palabras porque enseguida las siete mujeres salen del negocio de zapatería y caminan decididas en dirección a ellos.

La sorpresa aumenta. El asombro los congela por un instante, pero por un instante letal.

Dos de ellas, no importa quiénes, sacan las armas y apuntan. Y entonces es el estupor el que los acobarda. El policía repentinamente alcanza a extraer su silbato y sopla.

En la noche serena, el sonido de ese silbato suena tan estridente como absurdo, pero fatalmente inútil.

familia tipográfica: cheltenham
impreso en programas educativos, s.a.
calz. chabacano núm. 65, local a
col. asturias, 06850 méxico, d.f.
15 de junio de 2004